36, Quai des Orfèvres
Hauptquartier der
Pariser Kriminalpolizei

Diogenes Taschenbuch 23803

Georges Simenon
Sämtliche Maigret-Romane in 75 Bänden
in chronologischer Reihenfolge
und in revidierten Übersetzungen

———————————

Band 3

Georges Simenon

Maigret und der Gehängte von Saint-Pholien

Roman
Aus dem Französischen von
Sibylle Powell

Diogenes

Veröffentlicht als Diogenes Taschenbuch, 2008
Alle deutschen Rechte vorbehalten
Copyright © 1981, 1998, 2008
Diogenes Verlag AG Zürich
www.diogenes.ch
50/08/44/1
isbn 978 3 257 23803 7

Inhalt

Kommissar Maigrets Verbrechen

Niemand bemerkte etwas. Niemand ahnte auch nur, dass sich im Wartesaal des kleinen Bahnhofs, wo bloß sechs Reisende teilnahmslos im Dunst von Kaffee, Bier und Limonade warteten, ein Drama abspielte.

Es war fünf Uhr nachmittags, und die Nacht brach schon herein. Die Lampen brannten, aber durch die Scheiben konnte man noch erkennen, wie die deutschen und holländischen Zoll- und Bahnbeamten im trüben Zwielicht des Bahnsteigs hin und her liefen.

Der Bahnhof Neuschanz liegt nämlich ganz im Norden Hollands an der deutschen Grenze.

Es ist ein unbedeutender Bahnhof. Neuschanz selbst ist nicht einmal ein Dorf und liegt an keiner wichtigen Linie. Nur morgens und abends verkehren hier Züge: für die deutschen Arbeiter, die, von den hohen Löhnen angelockt, in niederländischen Fabriken tätig sind.

Und jedes Mal spielt sich das gleiche Ritual ab: Der deutsche Zug hält am einen Ende des Bahnsteigs, der holländische am anderen.

Die Bahnbeamten mit der orangefarbenen Mütze und die in grüner oder preußischblauer Uniform gehen aufeinander zu und verbringen die für die Zollformalitäten veranschlagte Wartezeit miteinander.

Da jeder Zug nur ein paar Dutzend Fahrgäste befördert, und zwar immer dieselben, die mit den Zollbeamten auf Du und Du stehen, sind die Formalitäten schnell erledigt.

Die Leute setzen sich in die Bahnhofsgaststätte, die sich durch nichts von der anderer Grenzbahnhöfe unterscheidet. Die Preise sind in Cents und Pfennigen angegeben. Im Schaukasten liegt holländische Schokolade neben deutschen Zigaretten, und es wird sowohl Genever als auch Schnaps ausgeschenkt.

An diesem Abend lag etwas Bedrückendes in der Luft. Hinter der Kasse döste eine Frau; ein Dampfstrahl entwich der Kaffeemaschine, und durch die offenstehende Küchentür hörte man einen Radioapparat pfeifen, an dem ein Junge herumdrehte.

Es wirkte vertraut, und doch genügten einige Kleinigkeiten, um der Atmosphäre einen beunruhigenden Hauch von Abenteuer und Geheimnis zu verleihen.

Die Uniformen der beiden Länder zum Beispiel! Das Nebeneinander von Plakaten, die für den Wintersport in Deutschland einerseits und die Utrechter Messe andererseits warben.

In einer Ecke die Umrisse einer Gestalt: ein Mann so um die Dreißig, in fadenscheiniger Kleidung, mit bleichem, unrasiertem Gesicht und einem weichen Hut von undefinierbarem Grau, der wohl schon ganz Europa gesehen hatte.

Der Mann war mit dem holländischen Zug gekommen. Er hatte eine Fahrkarte nach Bremen vorgezeigt, und der Schaffner hatte ihm auf Deutsch erklärt, dass er sich die ungünstigste Strecke ausgesucht habe, auf der keine Schnellzüge verkehrten.

Der Fahrgast hatte ihm bedeutet, dass er nicht verstand. Er hatte auf Französisch Kaffee bestellt und die Neugier aller Umsitzenden auf sich gezogen.

Seine Augen glänzten fiebrig, lagen zu tief in den Höhlen. Die Art, wie er beim Rauchen die Zigarette an der Unterlippe kleben ließ, genügte, um ihm einen Ausdruck von Erschöpfung oder Verachtung zu verleihen.

Zu seinen Füßen stand ein Kunstfaserköfferchen, wie jedes Kaufhaus sie führt. Es war neu.

Nachdem er bedient worden war, zog der Mann eine Handvoll Kleingeld – darunter französische, belgische sowie die kleinen holländischen Silbermünzen – aus der Tasche. Die Kellnerin musste sich selbst die nötigen Geldstücke herausklauben.

Weniger auffällig war ein anderer Fahrgast, der sich am Nachbartisch niedergelassen hatte. Ein großer, schwerfällig gebauter Mensch mit ausladenden Schultern. Er trug einen dicken, schwarzen Mantel mit Samtkragen, und der Knoten seiner Krawatte war an einem Zelluloidkragen befestigt.

Verkrampft saß der erste der beiden Männer an seinem Platz und beobachtete unentwegt durch die Glastür die Beamten, als fürchte er, den Zug zu verpassen.

Der zweite betrachtete ihn gelassen, während er gleichmütig an seiner Pfeife sog.

Für die Dauer von zwei Minuten verließ der unruhige Reisende seinen Platz, um die Toiletten aufzusuchen, und sogleich – ohne sich auch nur zu bücken – zog der andere das Köfferchen mit dem Fuß zu sich herüber und schob ein zweites, genau gleich beschaffenes an seine Stelle.

Eine halbe Stunde später fuhr der Zug ab. Die beiden Männer nahmen in demselben Abteil dritter Klasse Platz, wechselten jedoch kein Wort miteinander.

In Leer stiegen alle aus, der Zug setzte seine Fahrt einzig für diese beiden fort.

Um zehn lief er in die mächtige, glasgedeckte Halle des Bremer Hauptbahnhofs ein, wo das Licht der Bogenlampen jedes Gesicht fahl erscheinen ließ.

Der erste der beiden Männer schien kein Wort Deutsch zu verstehen, denn erst nachdem er mehrmals die falsche Richtung eingeschlagen hatte und im Bahnhofsrestaurant erster Klasse gelandet war, erreichte er nach einigem Hin und Her das der dritten Klasse, wo er sich nicht setzte, sondern am Büfett stehen blieb.

Er deutete auf Wurstbrötchen, erklärte gestikulierend, dass er sie mitnehmen wolle, und bezahlte auch diesmal wieder, indem er eine Handvoll Münzen hinstreckte.

Eine gute halbe Stunde lang irrte er – das Köfferchen in der Hand – durch die breiten Straßen um den Bahnhof, so als suche er etwas Bestimmtes.

Und der Mann mit dem Samtkragen, der ihm geduldig folgte, erriet, was es war, als er seinen Begleiter endlich nach links, auf ein ärmlicheres Viertel zuhasten sah.

Was dieser suchte, war ganz einfach ein billiges Hotel. Misstrauisch prüfte der junge Mann, dessen Gang allmählich schleppend wurde, mehrere Absteigen, bevor er sich für eine der miesesten, mit einer dicken, weißen Milchglaskugel über der Tür entschied.

Immer noch trug er das Köfferchen in einer Hand und

in der anderen die in eine Papierserviette eingewickelten Wurstbrötchen.

Die Straße war belebt, und langsam senkte sich Nebel herab, dämpfte die Beleuchtung der Schaufenster.

Der Mann im dicken Mantel hatte einige Mühe, das Zimmer neben dem seines Reisegefährten zu bekommen.

Es war ein armseliges Zimmer, das allen armseligen Hotelzimmern der Welt glich, mit dem einzigen Unterschied vielleicht, dass Armseligkeit nirgendwo ganz so trostlos ist wie in Norddeutschland.

Aber zwischen den beiden Zimmern gab es eine Verbindungstür und in dieser ein Schlüsselloch.

So konnte der Mann verfolgen, wie der Koffer geöffnet wurde, der nichts als alte Zeitungen enthielt.

Er sah, wie der Reisende erblasste, so sehr, dass es kaum mit anzusehen war; sah, wie er den Koffer mit zitternden Händen drehte und wendete, die Zeitungen im Zimmer verstreute.

Die Brötchen lagen immer noch eingewickelt auf dem Tisch, aber der junge Mann, der seit vier Uhr nachmittags nichts mehr gegessen hatte, schenkte ihnen keinerlei Beachtung.

Er stürzte zurück zum Bahnhof, verlief sich, musste zehnmal nach dem Weg fragen, wiederholte immerfort das Wort, das sein Akzent so entstellte, dass die Befragten ihn kaum verstanden: »Bahnhof…!«

In seiner Aufregung und um sich besser verständlich zu machen, ahmte er sogar das Geräusch eines Zuges nach!

Er gelangte zum Bahnhof, irrte durch die weite Halle, bis er irgendwo aufgetürmte Gepäckstücke entdeckte, und schlich wie ein Dieb näher heran, um sich zu vergewissern, dass sein Koffer nicht dabei sei.

Und jedes Mal, wenn jemand mit einem ähnlichen Koffer vorbeiging, fuhr er zusammen.

Immer noch folgte ihm sein Begleiter, den Blick unverwandt auf ihn geheftet.

Erst um Mitternacht kehrten sie, einer nach dem anderen, ins Hotel zurück.

Durch das Schlüsselloch bot sich scharf umrissen der Anblick des jungen Mannes, wie er, den Kopf in den Händen, zusammengesackt auf einem Stuhl saß. Als er aufstand, schnippte er mit den Fingern – eine Gebärde, die zugleich Wut und Fatalismus ausdrückte.

Und das war das Ende: Er zog einen Revolver aus der Tasche, riss den Mund auf, so weit es nur ging, und drückte ab.

Einen Augenblick später waren zehn Menschen im Raum, darunter Kommissar Maigret, der seinen Mantel mit dem Samtkragen nicht abgelegt hatte und den Neugierigen den Zutritt zu verwehren suchte. Wiederholt vernahm man die Worte ›Polizei‹ und ›Mörder‹.

Tot wirkte der junge Mann noch erbärmlicher als lebend. Man sah die Löcher in seinen Schuhsohlen, und die im Fallen hochgerutschte Hose enthüllte eine unglaubliche rote Socke und ein bleiches, behaartes Schienbein.

Ein Polizist erschien, sagte etwas in gebieterischem Ton, worauf sich die Leute im Gang zusammendrängten. Nur Maigret, der sich mittels seiner Kennmarke als Kommissar der Pariser Kriminalpolizei auswies, blieb im Zimmer.

Der Polizist sprach kein Wort Französisch, und Maigret konnte nur ein paar Brocken Deutsch.

Zehn Minuten später bremste auch schon ein Wagen vor dem Hotel, und Kriminalbeamte in Zivil stürzten herein.

Statt ›Polizei‹ raunte man nun ›Franzose‹ draußen im Gang, und neugierige Blicke trafen den Kommissar. Jedoch ein paar Befehle genügten, um der ganzen Unruhe ein Ende zu setzen; das Gemurmel brach so plötzlich ab, wie man mit einem Handgriff den Strom abschaltet.

Die Hotelgäste verschwanden in ihren Zimmern. Auf der Straße hielt sich eine schweigende Menschengruppe in respektvoller Entfernung.

Kommissar Maigret hatte immer noch seine Pfeife zwischen den Zähnen, allerdings war sie jetzt erloschen, und auf seinem fleischigen Gesicht, dessen Züge den Eindruck erweckten, als seien sie mit kräftigem Daumendruck in unbildsamen Ton geknetet, waren Anzeichen von Angst oder Verstörtheit zu sehen.

»Würden Sie mir erlauben, meine Ermittlungen parallel zu den Ihren anzustellen?«, fragte er. »Eins steht fest: Der Mann hat Selbstmord begangen. Er ist Franzose.«

»Waren Sie ihm auf der Spur?«

»Ich kann Ihnen das jetzt nicht alles erklären … Ich möchte, dass Ihr Erkennungsdienst ihn so scharf wie möglich und von allen Seiten fotografiert.«

Nach all dem Aufruhr herrschte nun wieder Stille. Nur drei Männer waren in dem Raum zurückgeblieben.

Der eine, ein junger Mensch mit frischem Teint und kurzgeschorenem Haar, trug zum Jackett eine gestreifte Hose und putzte hin und wieder die Gläser seiner goldgefassten Brille. Er wurde mit einem Titel, der wie ›Oberkriminalrat‹ klang, angeredet.

Der andere, von ebenso gesunder Gesichtsfarbe, aber weniger förmlich gekleidet, stöberte überall herum und bemühte sich, Französisch zu sprechen.

Sie fanden nichts außer einem Pass, der auf den Namen Louis Jeunet lautete, Maschinenschlosser, gebürtig in Aubervilliers.

Was den Revolver anging, so trug er den Stempel der Waffenfabrik Herstal in Belgien.

Bei der Kriminalpolizei am Quai des Orfèvres konnte sich wohl niemand in dieser Nacht vorstellen, wie es um Maigret stand: schweigsam, wie von einem Schicksalsschlag vernichtet, sah er seinen deutschen Kollegen bei der Arbeit zu, trat beiseite, um Fotografen und Gerichtsmedizinern Platz zu machen, und harrte dabei hartnäckig – die immer noch kalte Pfeife zwischen den Zähnen – der kärglichen Beute, die man ihm gegen drei Uhr morgens aushändigte: die Kleidungsstücke des Toten, seinen Pass und ein Dutzend Aufnahmen, denen das Blitzlicht einen gespenstischen Anstrich verlieh.

Er war nicht weit davon entfernt – ja, er war sogar sehr nahe daran, zu denken, dass er einen Menschen umgebracht hatte.

Einen Menschen, den er nicht einmal kannte, von dem er nichts wusste! Es gab keinen Beweis dafür, dass dieser Mensch sich gegen das Gesetz vergangen hatte!

Angefangen hatte es am Abend zuvor in Brüssel, auf die überraschendste Art und Weise. Maigret war auf Dienstreise dort gewesen. Er hatte eine Besprechung mit der belgischen Sûreté wegen der aus Frankreich verwiesenen italienischen Flüchtlinge gehabt, deren Umtriebe Anlass zur Beunruhigung gaben.

Es war mehr ein Ausflug als eine Dienstreise gewesen. Die Besprechungen waren früher als geplant zu Ende gewesen, so dass dem Kommissar ein paar freie Stunden blieben.

Und aus reiner Neugier hatte er ein kleines Café an der Montagne aux Herbes Potagères betreten.

Es war zehn Uhr morgens gewesen und das Lokal so gut wie leer. Dennoch war Maigret über dem Geschwätz des gutgelaunten, vertrauensseligen Wirtes ein Gast im hintersten Winkel des Lokals aufgefallen, der sich im Halbdunkel einer seltsamen Beschäftigung widmete.

Der Mann sah armselig aus, jeder Zoll verriet den gewohnheitsmäßigen Arbeitslosen, wie man ihn in allen Großstädten der Welt auf der Suche nach einem Gelegenheitsverdienst antrifft.

Doch der hier zog Tausendfrancscheine aus der Tasche, zählte sie und wickelte sie in Packpapier, worauf er das Päckchen verschnürte und mit einer Adresse versah.

Dreißig Scheine, wenn nicht mehr! Dreißigtausend belgische Franc! Maigret hatte die Stirn gerunzelt und war dem Unbekannten, nachdem dieser seinen Kaffee bezahlt und das Lokal verlassen hatte, bis zum nächsten Postamt gefolgt.

Dort war es ihm gelungen, dem Mann über die Schulter

zu blicken und die in einer äußerst prägnanten Handschrift geschriebene Adresse zu entziffern:

Monsieur Louis Jeunet
18, Rue de la Roquette
Paris

Aber mehr als alles andere hatte ihn der Vermerk »Drucksache« erstaunt. Dreißigtausend Franc wie wertloses Zeitungspapier, wie ganz gewöhnliche Werbesendungen loszuschicken! Denn das Päckchen war nicht einmal eingeschrieben worden. Ein Schalterbeamter hatte es gewogen und »siebzig Centimes« gesagt.

Und nachdem der Absender das Porto bezahlt hatte, war er hinausgegangen. Maigret hatte sich den Namen und die Anschrift notiert und war dem Mann auf den Fersen geblieben. Einen Moment lang hatte er sogar belustigt mit dem Gedanken gespielt, ihn der belgischen Polizei als Geschenk zu übergeben. Er würde schnell mal beim Chef der Brüsseler Sûreté vorsprechen und beiläufig erwähnen:

»Mir ist da übrigens vorhin bei einem Glas Gueuse-Lambic so ein Ganove in die Hände geraten… Sie brauchen ihn bloß da und da abzuholen.«

Maigret war bester Laune gewesen. Eine milde Herbstsonne hatte auf die Stadt herabgeschienen, die Luft mit einem Hauch von Wärme erfüllt.

Um elf hatte der Unbekannte in einem Laden in der Rue Neuve für zweiunddreißig Franc einen Koffer aus Kunstleder oder eher Kunstfaser erstanden, und so zum Spaß hatte Maigret sich den gleichen gekauft, ohne sich dabei den weiteren Verlauf des Abenteuers auszumalen.

Um halb zwölf war der Mann in ein Hotel gegangen – den Namen des Gässchens, in dem es sich befand, vermochte der Kommissar nicht ausfindig zu machen. Wenig später war er wieder zum Vorschein gekommen und an der Gare du Nord in den Zug nach Amsterdam gestiegen.

Diesmal hatte der Kommissar doch gezögert. Möglicherweise hatte der Eindruck, diesem Gesicht schon irgendwo begegnet zu sein, seine Entscheidung beeinflusst…

»Sicher eine ganz harmlose Geschichte. Aber wenn es nun doch etwas Wichtiges wäre…?«

Nichts drängte ihn, sofort nach Paris zurückzukehren. An der holländischen Grenze hatte er über die Geschicklichkeit gestaunt, mit der der Mann seinen Koffer auf das Dach der Waggons schob, bevor sie die Zollkontrolle erreichten, eine Geschicklichkeit, die verriet, dass der Mann mit solchen Situationen vertraut war.

»Wir werden der Sache schon noch auf den Grund kommen, wenn er erst einmal irgendwo haltmacht!«

In Amsterdam hatte er allerdings nicht haltgemacht, sondern lediglich eine Fahrkarte dritter Klasse nach Bremen gelöst. Und dann war die Reise weitergegangen, quer durch das holländische Flachland mit seinen Kanälen, über die Segelboote dahinglitten, als schwämmen sie mitten auf den Feldern.

Neuschanz… Bremen…

Maigret hatte den Austausch der Koffer aufs Geratewohl vorgenommen. Vergeblich hatte er in stundenlangem Grübeln versucht, den Burschen in eine der Kategorien einzuordnen, mit denen die Polizei operiert:

»Zu nervös für den echten Gangster internationalen Kalibers… Er könnte natürlich ein Handlanger sein, der einen auf die Spur seiner Bosse bringt… Oder ein Mitglied einer Verschwörerbande, ein Anarchist…? Er spricht aber nur Französisch, und in Frankreich gibt es keine Verschwörungen, nicht einmal aktive Anarchisten…! Ein kleiner Ganove also, ein Einzelgänger…?«

Aber hätte ein Ganove, der dreißig Tausendfrancscheine, in einfaches Packpapier gewickelt, losgeschickt hatte, dermaßen anspruchslos gelebt?

Der Mann trank nicht, begnügte sich auf den Bahnhöfen, wo der Zug lange Aufenthalt hatte, mit einem hastig hinuntergestürzten Kaffee und hin und wieder einem Brötchen oder einer Brioche.

Er kannte die Strecke nicht, denn ständig erkundigte er sich besorgt – ja, geradezu übertriebene Besorgnis an den Tag legend –, ob das auch die richtige Richtung sei.

Er war nicht kräftig, und doch trugen seine Hände die Merkmale körperlicher Arbeit. Die schwarzen, zu langen Nägel ließen vermuten, dass er seit geraumer Zeit nicht mehr beschäftigt gewesen war.

Seine Gesichtsfarbe deutete auf Blutarmut oder gar auf ein Leben in bitterer Not hin.

Und nach und nach hatte Maigret seine ursprüngliche Absicht vergessen, nämlich der belgischen Polizei einen Gefallen zu erweisen, indem er ihr wie zum Spaß einen an Händen und Füßen gefesselten Missetäter präsentierte.

Das Rätsel hatte angefangen, ihn zu faszinieren. Er hatte Ausreden erfunden, sich gesagt:

»Amsterdam–Paris, das ist schließlich keine Entfernung!«

Und dann:

»Mit dem Schnellzug bin ich in dreizehn Stunden aus Bremen zurück...«

Nun war der Mann tot. Er hatte keinerlei belastendes Material bei sich getragen, nichts, was über sein Treiben Aufschluss gegeben hätte, außer einem gewöhnlichen Revolver, der den in Europa gängigsten Stempel trug.

Er schien sich nur deshalb das Leben genommen zu haben, weil ihm sein Koffer gestohlen worden war. Warum hätte er sich sonst am Bahnhofsbüfett Brötchen kaufen sollen, wenn er nicht vorgehabt hätte, sie zu essen?

Und wozu die tagelange Bahnfahrt von Brüssel, wo er sich ebensogut wie in einem deutschen Hotel eine Kugel in den Kopf hätte jagen können?

Blieb der Koffer, der vielleicht des Rätsels Lösung enthielt. Und so schloss der Kommissar sich denn in sein Zimmer ein, als man die nackt in ein Laken gehüllte Leiche in ein amtliches Fahrzeug verfrachtet und fortgeschafft hatte, nachdem sie untersucht, fotografiert, von Kopf bis Fuß einer gründlichen Prüfung unterzogen worden war.

Maigret sah abgespannt aus, und obwohl er sich mit dem gewohnten leichten Daumendruck eine Pfeife stopfte, so war das doch bloß ein Versuch, sich seine Seelenruhe selbst einzureden.

Das angegriffene Gesicht des Toten ließ ihm keine Ruhe. Immer wieder sah er ihn vor sich, wie er mit den Fingern schnalzte und ohne jeden Übergang den Mund weit aufriss, um hineinzuschießen.

Dieses unbehagliche, an Gewissensbisse grenzende Gefühl war so stark, dass es ihn erhebliche Überwindung kostete, den Kunststoffkoffer auch nur zu berühren.

Und doch musste gerade dieser Koffer seine Rechtfertigung enthalten! Sollte sein Inhalt ihm nicht den Beweis dafür liefern, dass der Mann, dessen Schicksal ihm so naheging, ein Gauner war, ein gefährlicher Verbrecher, womöglich gar ein Mörder?

Die Schlüssel hingen noch genauso wie in dem Laden in der Rue Neuve an einer um den Griff geknoteten Schnur. Maigret hob den Deckel hoch, nahm zuerst einen dunkelgrauen Anzug heraus, der weniger abgetragen war als der, den der Tote angehabt hatte.

Darunter lagen zwei zusammengeknüllte, schmutzige, an Kragen und Manschetten durchgescheuerte Hemden sowie ein loser Kragen mit feinen rosa Streifen, der mindestens vierzehn Tage getragen worden sein musste, so schwarz war er an der Stelle, die mit dem Hals seines Besitzers in Kontakt gekommen war – ganz schwarz und abgewetzt.

Das war alles! Jetzt war da nur noch der Kofferboden aus grünem Papier und die beiden nicht benutzten Gurte mit ihren glänzenden Spangen und Ringen.

Maigret schüttelte die Kleider aus, durchsuchte die Taschen. Sie waren leer.

Eine unerklärliche Angst presste ihm die Kehle zusammen, ließ ihn hartnäckig weitersuchen, getrieben von dem Drang, der Notwendigkeit, irgendetwas zu entdecken.

Hatte denn nicht ein Mann Selbstmord verübt, weil ihm dieser Koffer gestohlen worden war? Ein Koffer, der nichts als einen alten Anzug und schmutzige Wäsche enthielt!

Nicht ein Blatt Papier! Nicht die Spur von einem Schriftstück! Nicht einmal ein Anhaltspunkt, um Vermutungen über die Vergangenheit des Toten anzustellen!

Die Wände des Zimmers waren frisch tapeziert, und die grellen Farben der billigen Tapete ließen das Blumenmuster aggressiv erscheinen. Die Möbel dagegen waren abgenutzt, wacklig, drohten aus den Fugen zu gehen, und auf dem Tisch lag eine Chintzdecke, die man nur mit Abscheu zu berühren vermochte.

Die Straße war leer, die Läden der kleinen Geschäfte verriegelt, aber an der hundert Meter entfernten Kreuzung rauschte der Verkehr unablässig, mit beruhigender Eintönigkeit vorüber. Maigret sah hin zu der Verbindungstür, dem Schlüsselloch, durch das er nicht mehr zu gucken wagte. Ihm fiel ein, dass die Leute vom Erkennungsdienst die Umrisse des Toten vorsorglich auf den Fußboden des Nachbarzimmers gezeichnet hatten.

Den zerdrückten Anzug aus dem Koffer überm Arm, tappte er auf Zehenspitzen hinüber, um die anderen Hotelgäste nicht zu wecken – vielleicht aber auch, weil das Geheimnis auf ihm lastete.

Die Silhouette am Boden war unförmig, aber die Ausmaße stimmten genau.

Als er sich bemühte, Jacke, Hose und Weste darauf zu legen, blitzte es plötzlich in seinen Augen, und seine Zähne gruben sich unwillkürlich in den Pfeifenstiel.

Ein jedes Kleidungsstück war mindestens drei Nummern zu groß! Sie gehörten nicht dem Toten.

Was der Landstreicher so misstrauisch in seinem Koffer hütete, was für ihn so viel Wert besaß, dass er sich das Leben nahm, als er es verlor, war der Anzug eines anderen!

2

Monsieur van Damme

Die Bremer Zeitungen brachten lediglich die kurze Notiz, ein Franzose namens Louis Jeunet, von Beruf Maschinenschlosser, habe in einem Hotel der Stadt Selbstmord begangen. Das Motiv sei vermutlich seine wirtschaftliche Notlage gewesen.

Am nächsten Morgen jedoch, als diese Zeilen erschienen, entsprach die Nachricht schon nicht mehr ganz der Wahrheit. Beim Durchblättern des Reisepasses war Maigret nämlich etwas Merkwürdiges aufgefallen. Auf der für die Personenbeschreibung vorgesehenen Seite sechs, wo Alter, Körpergröße, Haarfarbe, Stirn, Augenbrauen und so weiter untereinander aufgeführt werden, stand das Wort ›Stirn‹ vor dem Wort ›Haarfarbe‹ statt danach.

Nun hatte die Pariser Sûreté aber sechs Monate zuvor in Saint-Ouen eine regelrechte Fälscherwerkstatt entdeckt, wo Reisepässe, Soldbücher, Aufenthaltsgenehmigungen für Ausländer und dergleichen amtliche Bescheinigungen hergestellt wurden. Eine Anzahl der Dokumente hatte beschlagnahmt werden können, die Fälscher selbst hatten jedoch gestanden, dass sich Hunderte der von ihnen gedruckten Papiere seit Jahren schon im Umlauf befänden und sie mangels Buchführung nicht imstande seien, eine Liste ihrer Kunden aufzustellen.

Sein Pass bewies, dass Louis Jeunet zu diesen Kunden gehört hatte und folglich gar nicht Louis Jeunet hieß.

Somit entfiel die einzige halbwegs verlässliche Grundlage für Nachforschungen. Der Mann, der sich in dieser Nacht das Leben genommen hatte, war nur noch ein Unbekannter.

Es war neun Uhr, als der Kommissar, mit sämtlichen amtlichen Vollmachten ausgerüstet, beim Leichenschauhaus erschien, wo vom Zeitpunkt der Öffnung an jedermann freien Zutritt haben würde.

Vergeblich sah er sich nach einem Winkel um, von dem aus er unauffällig beobachten konnte, wenngleich er sich nicht allzuviel davon versprach. Das Leichenschauhaus war – wie der Großteil der Stadt und jedes öffentliche Gebäude – in modernem Stil gebaut.

Und war zugleich noch düsterer als die altmodische Pariser Leichenhalle am Quai de l'Horloge. Düsterer gerade wegen der Übersichtlichkeit seiner Linien und Flächen, dem einheitlichen Weiß der Wände, die das grelle Licht reflektierten, den auf Hochglanz polierten Kühlanlagen, die an ein Elektrizitätswerk erinnerten.

Der Vergleich mit einer Vorzeigefabrik drängte sich auf, einer Fabrik, deren Rohmaterial menschliche Körper waren!

Der falsche Louis Jeunet lag dort, weniger entstellt, als man erwartet hätte, denn die Experten hatten sein Gesicht annähernd naturgetreu rekonstruiert.

Außer ihm waren da noch eine junge Frau und ein im Hafen angetriebener Ertrunkener.

Der vor Gesundheit strahlende, in eine blitzsaubere Uniform gezwängte Aufsichtsbeamte erinnerte an einen Museumswächter.

Im Verlauf einer Stunde traten wider Erwarten so um die dreißig Personen durch die Tür, und als eine Frau eine Leiche zu sehen wünschte, die nicht ausgestellt war, vernahm man das Schrillen elektrischer Klingeln, Nummern wurden telefonisch durchgerufen.

Daraufhin setzte sich eine der Schubladen eines riesigen, die ganze Wand einnehmenden Schrankes im ersten Stock in Bewegung, glitt auf einen Aufzug, und kurz danach kam ein Stahlbehälter im Erdgeschoss zum Vorschein – so wie die Bücher in manchen Bibliotheken in den Lesesaal gelangen.

Es war die richtige Leiche. Die Frau beugte sich über sie, schluchzte auf und wurde nach hinten in ein Büro geführt, wo eine junge Schreibkraft ihre Erklärung zu Protokoll nahm.

Kaum jemand interessierte sich für Louis Jeunet. Gegen zehn Uhr jedoch stieg ein elegant gekleideter Mann aus einem Privatwagen und betrat den Saal, wo er den Selbstmörder mit einem Blick ausfindig machte, ihn aufmerksam betrachtete.

Maigret stand nicht weit von ihm. Beim Nähertreten unterzog er den Besucher einer genaueren Prüfung und bekam den Eindruck, dass er kein Deutscher sei.

Als der andere den Kommissar auf sich zukommen sah, zuckte er zusammen, wurde verlegen und schien sich über Maigret die gleichen Gedanken zu machen wie dieser zuvor über ihn.

»Sind Sie Franzose?«, fragte er.

»Ja. Sie auch?«

»Belgier. Aber ich wohne seit Jahren hier.«

»Und Sie kannten jemand mit dem Namen Jeunet?«

»Nein. Ich… ich habe nur heute Morgen in der Zeitung gelesen, dass ein Franzose in Bremen Selbstmord begangen hat, und da ich lange in Paris gelebt habe… Es war Neugier. Ich wollte ihn mir nur mal ansehen.«

Wie immer in solchen Augenblicken hatte die Ruhe Maigrets etwas absolut Unerschütterliches, nahmen selbst seine Züge einen derart sturen Ausdruck an, bekundeten einen solchen Mangel an Scharfsinn, dass man unwillkürlich an ein Rindvieh erinnert wurde.

»Sie sind von der Polizei, ja?«

»Ja, Kriminalpolizei.«

»Und Sie sind extra deshalb hergekommen…? Aber nein, was sage ich denn? Das ist ja nicht möglich, wo der Selbstmord heute Nacht erst passiert ist! Kennen Sie irgendwelche Landsleute hier in Bremen? Nein? Also, wenn ich Ihnen in irgendeiner Weise behilflich sein kann… Darf ich Sie zum Aperitif einladen?«

Wenig später folgte Maigret ihm hinaus und nahm Platz in dem Auto, das sein Begleiter selbst steuerte.

Und dieser redete in einem fort. Er war der Prototyp des jovialen, umtriebigen Unternehmers, schien jedermann zu kennen, grüßte hierhin und dorthin, wies auf Gebäude und erläuterte:

»Sehen Sie, da, der Norddeutsche Lloyd! Sie haben bestimmt von deren neuestem Passagierdampfer gehört… Das sind Kunden von mir!«

Er zeigte auf ein Bürohaus, wo fast jedes Fenster ein anderes Firmenschild trug, und erklärte:

»Im vierten Stock links können Sie mein Büro sehen!«

Auf den Scheiben stand in Porzellanbuchstaben: *Joseph van Damme, Handelsvertretung, Import-Export.*

»Können Sie sich vorstellen, dass ich manchmal einen ganzen Monat lang keine Gelegenheit habe, französisch zu sprechen? Meine Angestellten und selbst meine Sekretärin sind Deutsche. Die Arbeit verlangt es nun einmal…«

Es wäre schwierig gewesen, in Maigrets Gesicht, das scheinbar nichts weniger als Scharfsinn verriet, einen einzigen Gedanken zu lesen. Er stimmte allem bei, bewunderte, was man ihm als bewundernswert pries, einschließlich des Autos, dessen Patentfederung van Damme besonders hervorhob.

Zusammen betraten sie ein großes Bierlokal, in dem sich Geschäftsleute drängten und laut unterhielten, während eine Wiener Kapelle unermüdlich spielte und die Bierkrüge laut klirrten.

»Eine millionenschwere Kundschaft – schätzen Sie mal, wie viel!«, kam es begeistert von van Damme. »Hier, hören Sie! Sie verstehen kein Deutsch? Der Herr am Nachbartisch ist gerade dabei, eine Ladung Wolle, die noch auf hoher See zwischen Australien und Europa schaukelt, zu verkaufen. Er hat dreißig oder vierzig solcher Schiffe laufen. Ich könnte Ihnen andere zeigen… Was trinken Sie? Das Pilsener kann ich empfehlen. Übrigens…«

Der jähe Übergang entlockte Maigret nicht einmal ein Lächeln.

»Übrigens, was halten Sie von diesem Selbstmord? Ein armer Teufel, wie die hiesigen Zeitungen behaupten?«

»Möglich.«

»Stellen Sie Ermittlungen über ihn an?«

»Nein. Das ist Sache der deutschen Polizei, und da kein Zweifel darüber besteht, dass es sich um Selbstmord handelt…«

»Natürlich! Also wissen Sie, das Ganze interessiert mich eigentlich nur deshalb, weil es sich um einen Franzosen handelt; es kommt so selten mal einer hier in den Norden rauf.«

Er erhob sich, um einem Gast, der im Begriff war, das Lokal zu verlassen, die Hand zu schütteln, setzte sich dann wieder mit den Worten:

»Entschuldigen Sie, aber das war der Direktor einer großen Versicherungsgesellschaft. Er ist gut hundert Millionen wert! Aber sagen Sie, Herr Kommissar, es ist fast zwölf – darf ich Sie zum Essen einladen?

Leider kann ich Sie nur ins Restaurant bitten, ich bin Junggeselle. So wie in Paris werden Sie zwar nicht speisen, aber ich will trotzdem versuchen, Ihnen etwas halbwegs Annehmbares vorzusetzen.

Sie sind doch einverstanden, ja?«

Er rief den Kellner und zahlte. Und die Bewegungen, die er beim Hervorziehen der Brieftasche ausführte, waren die gleichen, die Maigret so oft bei Geschäftsleuten seines Schlages in der Umgebung der Bourse beobachtet hatte, wo sie den Aperitif einnahmen; eine unnachahmliche Gestik, eine Art, sich zurückzulehnen und dabei die Brust raus- und zugleich das Kinn runterzudrücken und mit selbstgefälliger Nachlässigkeit dies geheiligte Objekt, das mit Geldscheinen vollgestopfte Lederetui, zu öffnen.

»Gehen wir!«

Erst gegen fünf überließ van Damme den Kommissar wieder sich selbst, nicht ohne ihn zuvor mit in sein Büro geschleppt zu haben, zu den drei Angestellten und der Stenotypistin.

Außerdem hatte er Maigret noch das Versprechen abgenommen, falls dieser Bremen nicht am selben Tag verlassen sollte, den Abend mit ihm in einem bekannten Nachtklub zu verbringen.

Draußen in der Menge fand sich der Kommissar wieder allein mit seinen Gedanken, die alles andere als klar waren. Wenn man das überhaupt Gedanken nennen konnte!

Im Geiste sah er zwei Gestalten vor sich, zwei Männer, die er miteinander in Verbindung zu bringen suchte.

Denn es gab eine zwischen ihnen! Van Damme hatte sich nicht die Mühe gemacht, das Leichenschauhaus aufzusuchen, bloß um die sterblichen Überreste eines Unbekannten zu betrachten. Und es war auch nicht allein das Vergnügen, französisch sprechen zu können, gewesen, das ihn veranlasst hatte, Maigret zum Essen einzuladen.

Dazu kam, dass er erst nach und nach sein wahres Gesicht gezeigt hatte, in dem Maße nämlich, wie ihm der Kommissar der Angelegenheit gegenüber gleichgültiger erschienen war – oder vielleicht auch einfältiger.

Am Morgen war er unruhig gewesen, sein Lächeln hatte gezwungen gewirkt.

Der Mann aber, von dem der Kommissar sich verabschiedet hatte, war ganz der wendige Hansdampf in allen Gassen gewesen, der unablässig hin und her flitzt, Reden führt, sich für etwas begeistert, in ständigem Kontakt mit den Finanzgrößen steht, in seinem Wagen herumkutschiert, telefoniert, seine Sekretärin mit Anweisungen bombardiert und der zu erstklassigen Diners einlädt, zufrieden und selbstbewusst.

Und auf der anderen Seite ein abgehärmter, schäbig gekleideter Landstreicher mit durchlöcherten Schuhsohlen, der sich Wurstbrötchen gekauft hatte, ohne zu ahnen, dass er sie nicht essen würde.

Zweifellos hatte van Damme inzwischen jemand anderen gefunden, der ihm beim abendlichen Aperitif in ebenso einer Atmosphäre von Wiener Musik und Bier Gesellschaft leistete.

Um sechs Uhr würde sich ein Metallbehälter geräuschlos in Bewegung setzen, sein Deckel sich über dem nackten Körper des falschen Jeunet schließen und der Aufzug ihn zu dem Kühlschrank hinaufbefördern, wo er bis zum folgenden Morgen in einem nummerierten Fach untergebracht sein würde.

Maigret schlug den Weg zum Polizeipräsidium ein. Trotz der kalten Jahreszeit trieben Polizisten auf dem von einer leuchtendroten Mauer umgebenen Hof mit nacktem Oberkörper Gymnastik.

Im Labor erwartete ihn ein junger Mann mit träumerischem Blick an einem Tisch, auf dem die Habseligkeiten des Toten mit Etiketten versehen nebeneinander aufgereiht lagen.

Sein Französisch war korrekt, die Aussprache gewissenhaft. Er setzte seinen Stolz darein, immer genau das richtige Wort zu benutzen.

Er begann mit dem grauen Anzug, den Jeunet zum Zeitpunkt seines Todes getragen hatte; erklärte, man habe das

Futter herausgetrennt und alle Nähte überprüft, dabei jedoch nichts entdeckt.

»Der Anzug stammt aus dem Kaufhaus Belle-Jardinière in Paris, ein billiger Stoff, fünfzig Prozent Baumwollfaser. Es sind Fettflecken darauf festgestellt worden, teilweise von mineralischen Fetten herrührend, was darauf hindeuten könnte, dass der Mann in einer Fabrik, einer Werkstatt oder Garage angestellt war oder sich häufig dort aufgehalten hat. Seine Unterwäsche trägt keinerlei Warenzeichen. Die Schuhe wurden in Reims gekauft, ebenso billiges Massenfabrikat wie der Anzug. Bei den Socken handelt es sich um ein Baumwollprodukt, wie sie die Straßenhändler das Paar zu vier oder fünf Franc anbieten. Sie sind zerlöchert, sind aber nie gestopft worden. Alle Kleidungsstücke wurden in einer dichten, starken Tüte ausgeschüttelt und der Staub dann einer genauen Analyse unterzogen.

Das Ergebnis dieser Untersuchung hat die Herkunft der Fettspuren bestätigt. Das Gewebe ist tatsächlich mit dem feinen Metallstaub durchsetzt, den man nur in der Arbeitskleidung von Maschinenschlossern, Drehern und all denen findet, die in mechanischen Werkstätten arbeiten.

Das trifft jedoch nicht auf die Kleidungsstücke zu, die ich als *Kleidung B* bezeichnet habe und die seit einigen Jahren – ich würde sagen mindestens sechs – nicht mehr getragen worden sind.

Ein weiterer Unterschied: In den Taschen von *Anzug A* waren Spuren französischen Tabaks enthalten, und zwar vom sogenannten *tabac gris*.

In den Taschen von *B* dagegen wurden Tabakkrümel eines blonden Orient-Imitats gefunden.

Aber – und hiermit komme ich zum wichtigsten Punkt – bei den am *Anzug B* festgestellten Flecken handelt es sich nicht um Fettflecken, sondern um alte, durch menschliches Blut verursachte Flecken – arterielles Blut wahrscheinlich.

Der Stoff ist seit Jahren nicht mehr gereinigt worden. Der Mann, der diesen Anzug trug, muss buchstäblich von Blut überschwemmt worden sein. Außerdem lassen die vorhandenen Risse vermuten, dass ein Kampf stattgefunden hat, denn an verschiedenen Stellen, den Aufschlägen beispielsweise, sind die Querfäden des Gewebes so zerrissen, als hätten sich Fingernägel hineingekrallt.

Diese *Kleidung B* trägt das Firmenzeichen Roger Morcel, Maßschneider, Rue Haute-Sauvenière in Lüttich.

Was den Revolver betrifft, so handelt es sich um ein Fabrikat, das seit zwei Jahren nicht mehr hergestellt wird.

Wenn Sie mir Ihre Adresse hierlassen, schicke ich Ihnen eine Kopie des Berichts, den ich für meine Vorgesetzten machen muss.«

Um acht Uhr abends hatte Maigret alle Formalitäten erledigt. Die deutsche Polizei hatte ihm die Kleidungsstücke des Toten zusammen mit denen aus dem Koffer, die der Sachverständige *Kleidung B* genannt hatte, ausgehändigt. Man hatte beschlossen, die Leiche bis auf weiteres im Kühlschrank des Leichenhauses aufzubewahren, wo sie den französischen Behörden zur Verfügung stehen sollte.

Maigret hatte eine Abschrift von Joseph van Dammes polizeilichem Meldezettel gemacht: geboren in Lüttich als Sohn flämischer Eltern, von Beruf Vertreter und später

Direktor eines seinen Namen führenden Kommissionsge-schäfts.

Er war zweiunddreißig, unverheiratet, erst seit drei Jahren in Bremen ansässig, wo er nach anfänglichen Schwierigkeiten nun gute Geschäfte zu tätigen schien.

In sein Hotelzimmer zurückgekehrt, saß der Kommissar lange auf dem Bettrand, die beiden Kunststoffkoffer vor sich aufgebaut.

Er hatte die Verbindungstür zum Nachbarzimmer geöffnet, wo alles so wie am Vorabend geblieben war. Mit Verwunderung stellte er fest, wie wenig Spuren das Drama hinterlassen hatte. Ein winziger brauner Spritzer an der Tapete, unter einer rosa Blume, war der einzig sichtbare Blutfleck; und auf dem Tisch lagen auch jetzt noch die beiden eingewickelten Wurstbrötchen. Eine Fliege hatte sich darauf niedergelassen.

Am Vormittag hatte Maigret zwei Fotografien des Toten nach Paris geschickt und die Kriminalpolizei gebeten, sie in möglichst vielen Zeitungen veröffentlichen zu lassen.

War es richtig, mit den Nachforschungen dort zu beginnen? In Paris, wo er zumindest eine Adresse als Anhaltspunkt besaß, die nämlich, an die sich Jeunet aus Brüssel dreißig Tausendfrancscheine gesandt hatte.

Oder sollte man in Lüttich suchen, wo der *Anzug B* vor einigen Jahren erstanden worden war? In Reims, wo die Schuhe des Toten herkamen?

In Brüssel, wo Jeunet die dreißigtausend Franc verpackt hatte, oder in Bremen, wo er umgekommen war und ein gewisser Joseph van Damme, der behauptete, ihn nicht zu kennen, aufgetaucht war, um sich seine Leiche anzusehen?

Der Hotelbesitzer kam und hielt eine lange Rede auf Deutsch, der der Kommissar die Frage entnahm, ob das Zimmer, in dem sich die Tragödie ereignet hatte, nun wieder hergerichtet und vermietet werden könne.

Er knurrte bejahend, wusch sich die Hände, zahlte und machte sich mit den beiden Koffern auf, deren auffällige Schäbigkeit in Widerspruch zu seiner behaglichen Erscheinung stand.

Nichts sprach dafür, die Nachforschungen eher an der einen als an der anderen Stelle zu beginnen, und wenn der Kommissar sich für Paris entschied, dann hauptsächlich, weil die überwältigend fremde Bremer Atmosphäre, die seine Gewohnheiten und Mentalität in einem fort erschütterte, ihn zu bedrücken begann.

Das ging so weit, dass dieser gelblichblasse und zu leichte Tabak ihm fast die Lust am Rauchen nahm.

Er schlief im Schnellzug und erwachte bei Tagesanbruch an der belgischen Grenze. Eine halbe Stunde später fuhr er schon durch Lüttich; er ließ einen lustlosen Blick zum Fenster hinausschweifen.

Der Zug hatte nur eine halbe Stunde Aufenthalt, so dass Maigret nicht die Zeit zu einem Besuch in der Rue Haute-Sauvenière blieb.

Um zwei Uhr nachmittags stieg er an der Gare du Nord aus und mischte sich unter die Pariser Passanten. Sein erstes Ziel war eine Tabakhandlung.

Er brauchte eine Weile, um französische Münzen aus der Tasche zu kramen, wurde angerempelt. Die beiden Koffer standen zu seinen Füßen. Als er sie wieder aufnehmen wollte, war nur noch einer da. Vergeblich sah er sich nach allen Seiten um; begriff, dass es zwecklos sein würde, die Polizei zu alarmieren.

Eins allerdings war beruhigend: Der Koffer, der ihm geblieben war, hatte eine Schnur mit zwei Schlüsseln am Griff. Es war der mit den Kleidungsstücken.

Der Dieb hatte den Koffer mit den alten Zeitungen erwischt.

Aber handelte es sich wirklich um einen gewöhnlichen Dieb, wie sie da auf allen Bahnhöfen ihr Unwesen treiben? War es nicht merkwürdig, dass er sich ein so schäbiges Gepäckstück ausgesucht hatte?

Maigret ließ sich in ein Taxi sinken und genoss zugleich seine Pfeife und die vertrauten Geräusche des Pariser Verkehrs. An einem Kiosk erregte ein Foto auf der Titelseite einer Zeitung seine Aufmerksamkeit. Von weitem erkannte er die aus Bremen geschickte Aufnahme Louis Jeunets.

Zuerst einmal musste er nach Hause, zum Boulevard Richard Lenoir, um seiner Frau guten Tag zu sagen und sich umzuziehen. Doch der Vorfall am Bahnhof hatte ihn nachdenklich gestimmt.

»Wenn es jemand tatsächlich auf die *Kleidung B* abgesehen haben sollte, wie hat er dann in Paris erfahren können, dass ich sie bei mir tragen und um diese Zeit ankommen würde?«

Immer mehr Geheimnisse schienen sich um die bleiche, ausgemergelte Gestalt des Landstreichers von Neuschanz und Bremen zu weben. Schatten begannen sich abzuzeichnen, wie wenn man eine fotografische Platte in den Entwickler taucht.

Es galt, ihnen Gestalt zu verleihen, die Gesichter klar

hervortreten zu lassen, sie mit einem Namen zu versehen, ihr Wesen und ihre gesamten Lebensumstände zu rekonstruieren.

Vorerst war auf der Fotoplatte nicht mehr als ein nackter Körper zu erkennen und ein grell angestrahlter Kopf, den die deutschen Ärzte zusammengeflickt hatten, um ihm sein normales Aussehen wiederzugeben.

Und die Schatten?… Erst einmal war da ein Mann, der in diesem Moment mit einem Koffer durch Paris floh… Und ein zweiter, der ihn von Bremen aus oder irgendwoher informiert hatte… Der joviale Joseph van Damme vielleicht? Vielleicht auch nicht… Und dann war da noch der Mann, der den *Anzug B* vor Jahren getragen hatte; und der andere, dessen Blut im Kampf über ihn gespritzt war…

Und derjenige, der dem falschen Jeunet die dreißigtausend Franc besorgt hatte oder dem diese Summe entwendet worden war!

Die Sonne schien. Auf den mit Kohlenbecken geheizten Caféterrassen saßen Leute. Die groben Zurufe der Autofahrer schwirrten durch die Luft, und dichte Menschenknäuel belagerten die Busse und Straßenbahnen.

Aus dieser wogenden Menge – und nicht nur aus dieser hier, die Menschenmengen von Bremen, Brüssel und Reims kamen noch dazu – galt es, zwei, drei, vier oder fünf Personen herauszugreifen…

Es mochten mehr sein – oder auch weniger.

Maigrets Blick wurde weich, als er die ehrfurchtgebietende Fassade des Polizeipräsidiums sah. Sein Köfferchen in der Hand, überquerte er den Hof und begrüßte den Bürodiener, den er beim Vornamen anredete, mit der Frage:

»Hast du mein Telegramm bekommen? Hast du Dampf gemacht?«

»Eine Dame ist wegen dem Bild da. Sie wartet schon seit zwei Stunden.«

Maigret nahm sich nicht einmal die Zeit, den Mantel auszuziehen oder seinen Hut abzulegen, selbst den Koffer behielt er in der Hand.

Der Warteraum für Besucher am Ende des Korridors, an dem die Büros der Kommissare lagen, war ein Zimmer mit Glaswänden, dessen Mobiliar aus einigen mit grünem Samt bezogenen Stühlen bestand. An der einzigen Betonwand hing eine Liste der im Einsatz ums Leben gekommenen Beamten.

Auf einem dieser Stühle saß eine noch junge Frau. Sie war auf die peinlich korrekte Art einfacher Leute gekleidet, der man die Stunden mühseligen Stichelns bei Lampenschein und allerlei Notlösungen noch ansieht.

Ein sehr schmaler Pelzstreifen umschloss den Kragen ihres schwarzen Tuchmantels, und ihre Hände, die in grauen Zwirnhandschuhen steckten, umklammerten eine Handtasche, die aus dem gleichen Kunstleder war wie der Koffer Maigrets.

War der Kommissar bei ihrem Anblick nicht betroffen angesichts einer verwirrenden Ähnlichkeit zwischen ihr und dem Toten? Es war keine Ähnlichkeit der Gesichtszüge, sondern vielmehr des Ausdrucks, der ›Klasse‹, könnte man vielleicht sagen.

Auch sie hatte die stumpfen Augen, die schweren Lider derer, die aller Lebensmut verlassen hat, und ihre Nase stach spitz aus einem zu blassen Gesicht.

In den zwei Stunden, die sie nun schon wartete, hatte sie ganz sicher nicht gewagt, sich vom Fleck zu rühren oder auch nur eine Bewegung zu machen. Der Blick, der Maigret durch die Scheibe traf, drückte keinerlei Hoffnung aus, dass er endlich derjenige sein könnte, den sie sprechen wollte.

Er öffnete die Tür.

»Würden Sie bitte in mein Büro kommen, Madame?«

Sie schien erstaunt, dass er ihr den Vortritt ließ, blieb eine Weile eher ratlos in der Mitte des Zimmers stehen. Zusammen mit der Handtasche presste sie eine zerknüllte Zeitung an sich, auf der die Hälfte der Fotografie zu erkennen war.

»Sie kennen offenbar den Mann, dessen…«

Aber bevor er noch aussprechen konnte, vergrub sie ihr Gesicht auch schon in den Händen, biss sich auf die Lippen und wimmerte, unfähig, ein Schluchzen zu unterdrücken:

»Es ist mein Mann!«

Und Maigret, um die Fassung zu wahren, beschäftigte sich damit, einen schweren Sessel für sie heranzurücken.

3

Die Kräuterhandlung in der Rue Picpus

Ihre ersten Worte, als sie wieder sprechen konnte, waren:
»Hat er sehr leiden müssen?«

»Nein, ich kann Ihnen versichern, er war sofort tot.«

Sie warf einen Blick auf die Zeitung in ihren Händen und zwang sich zu der Frage:

»In den Mund…?«

Und als der Kommissar nur nickte, wurde sie plötzlich wieder ruhig und sagte ernst, die Augen zu Boden gerichtet und in einem Tonfall, als spräche sie von einem ungebärdigen Kind:

»Er musste einfach immer alles anders machen!«

Sie hatte nichts von einer Geliebten oder auch nur einer Ehefrau; dagegen ging von dieser kaum Dreißigjährigen eine mütterliche Zärtlichkeit, die milde Resignation einer barmherzigen Schwester aus.

Arme Leute sind es gewohnt, ihre Verzweiflung in Schach zu halten, weil das Leben ihnen keine Zeit lässt, weil die Arbeit, die täglichen und stündlichen Bedürfnisse sie drängen. Sie trocknete ihre Tränen mit dem Taschentuch, und ohne die gerötete Nase wäre sie hübsch gewesen.

Als sie den Kommissar ansah, bebten ihre Lippen, schienen zwischen einem schmerzlichen Zug und dem Anflug eines unsicheren Lächelns zu schwanken.

»Hätten Sie etwas dagegen, mir ein paar Fragen zu beantworten?«, sagte Maigret, während er sich an seinen Schreibtisch setzte. »Ihr Mann hieß tatsächlich Louis Jeunet? Wann genau hat er Sie verlassen?«

Sie war nahe daran, wieder in Tränen auszubrechen; schon wurden ihre Augen feucht, pressten ihre Finger das Taschentuch zu einem harten, kleinen Ball zusammen.

»Vor zwei Jahren. Aber ich habe ihn danach noch einmal kurz gesehen, wie er das Gesicht ans Schaufenster drückte. Wenn meine Mutter nicht dagewesen wäre…«

Er begriff, dass sie von selbst weitersprechen würde, dass ihr nicht weniger daran lag als ihm.

»Sie wollen alles über unser Leben wissen, nicht wahr? Nur so lässt sich begreifen, warum Louis das getan hat… Mein Vater war Krankenpfleger in Beaujon. Er hatte eine kleine Kräuterhandlung in der Rue Picpus eingerichtet, die meine Mutter betreute.

Seitdem Vater vor sechs Jahren gestorben ist, leben Mutter und ich von dem Geschäft.

Als ich Louis kennenlernte…«

»Vor sechs Jahren, sagen Sie? Und da nannte er sich schon Jeunet?«

»Ja«, erwiderte sie erstaunt. »Er war damals Fräser in einer Werkstatt in Belleville und hatte ein gutes Einkommen. Ich weiß nicht, warum alles so schnell ging. Sie können sich natürlich nicht vorstellen… Er war so ungeduldig, in allem. Es war, als zehre ein Fieber an ihm.

Wir sind kaum einen Monat miteinander gegangen, als wir auch schon heirateten und er zu uns zog.

In der Wohnung hinterm Laden war nicht genug Platz

für drei, also haben wir Mutter ein Zimmer in der Rue du Chemin-Vert gemietet. Sie hat mir das Geschäft überlassen; aber wir mussten ihr zweihundert Franc im Monat geben, weil ihre Ersparnisse nicht zum Leben reichten.

Wir waren glücklich, das schwöre ich Ihnen! Morgens ging Louis zur Arbeit, und Mutter kam, um mir Gesellschaft zu leisten. Abends ging er nie aus.

Ich weiß nicht, wie ich es Ihnen erklären soll, aber trotzdem hatte ich die ganze Zeit das Gefühl, dass irgendetwas nicht stimmte.

Es war, als gehörte Louis nicht richtig zu uns, als ob ihm das ganze Familienleben zuweilen lästig würde…

Er war sehr zärtlich…«

Ihre Züge verklärten sich. Sie war beinahe schön, als sie sagte:

»Ich glaube nicht, dass viele Männer so sind. Manchmal nahm er mich plötzlich in den Arm und sah mir in die Augen, so tief, dass es beinahe schmerzte. Und dann, ebenso unerwartet, stieß er mich mit einer Bewegung von sich, wie ich sie nie bei jemand anderem gesehen habe, dabei seufzte er ganz leise:

›Ich hab dich schon lieb, nun lauf, meine kleine Jeanne!‹

Das war alles. Er nahm sich dann irgendeine Beschäftigung vor, ohne sich noch einmal nach mir umzudrehen, verbrachte Stunden mit der Reparatur irgendeines Möbelstücks, der Anfertigung eines Haushaltsgegenstandes für mich oder der Instandsetzung einer Uhr.

Meine Mutter hatte nicht viel für ihn übrig, eben weil sie merkte, dass etwas bei ihm nicht so war, wie es sein sollte.«

»Besaß er irgend etwas Persönliches, das er ganz besonders sorgfältig hütete?«

»Woher wissen Sie…?«

Sie machte eine kleine, erschrockene Bewegung, fuhr hastiger fort:

»Einen alten Anzug. Einmal, als ich ihn gerade in einem Karton oben auf dem Kleiderschrank entdeckt hatte und dabei war, ihn auszubürsten, kam Louis herein. Ich hatte sogar die Risse stopfen wollen, denn fürs Haus wäre der Anzug noch gut genug gewesen, aber er war ganz wütend, hat ihn mir aus der Hand gerissen und furchtbar geschimpft. An dem Abend hätte man meinen können, dass er mich hasst.

Wir waren damals einen Monat verheiratet. Von da an…«

Sie seufzte und sah Maigret an, wie um sich für die Schäbigkeit ihrer Geschichte zu entschuldigen.

»Ist er noch absonderlicher geworden?«

»Es war ganz sicher nicht seine Schuld! Ich glaube, er war krank. Etwas nagte an ihm. Manchmal, wenn wir eine Stunde lang glücklich gewesen waren, in der Küche, wo wir uns meistens aufhielten, veränderte er sich plötzlich vor meinen Augen. Er sprach kein Wort mehr, sah alles um sich herum – auch mich – mit einem bösen Lächeln an und ging dann einfach ins Bett, ohne mir gute Nacht zu sagen.«

»Hatte er Freunde?«

»Nein. Er hat nie Besuch bekommen.«

»Unternahm er keine Reisen, kam nie irgendwelche Post für ihn?«

»Nein. Es war ihm sogar unangenehm, Leute daheim bei uns anzutreffen. Zuweilen kam nämlich eine Nachbarin, die selbst keine Nähmaschine besitzt, herüber, um meine zu benutzen; es gab kein besseres Mittel, um Louis wütend zu machen …

Aber es war keine Wut, wie sie jeder mal hat. Sie schien nach innen gerichtet, und er litt wohl selbst am meisten darunter!

Als ich ihm sagte, dass ich ein Kind von ihm erwartete, hat er mich angeguckt, als hätte er den Verstand verloren …

Und von dem Augenblick an – besonders nach der Geburt des Kleinen – hat er zu trinken angefangen; nicht ständig, eher krisen-, phasenweise.

Und trotzdem weiß ich genau, dass er ihn liebhatte, den Jungen. Denn ab und zu, wenn er ihn ansah, lag in seinem Blick dieselbe zärtliche Verehrung, mit der er mich anfangs angesehen hatte.

Tags darauf kam er wieder betrunken heim, schloss sich im Schlafzimmer ein und blieb Stunden, manchmal ganze Tage im Bett.

Zuerst hat er mich noch weinend um Verzeihung gebeten. Vielleicht hätte ich es geschafft, ihn zu halten, wenn Mutter sich nicht eingemischt hätte, aber sie hat ihm Vorwürfe gemacht, und dann gab es Auseinandersetzungen …

Besonders, wenn Louis zwei, drei Tage nicht zur Arbeit ging.

Zum Schluss waren wir nur noch unglücklich. Sie können es sich vorstellen, nicht wahr? Er wurde immer bösartiger. Zweimal hat Mutter ihn vor die Tür gesetzt und ihm gesagt, das sei nicht seine Wohnung.

Aber was mich angeht, so bin ich überzeugt, dass er nichts dafür konnte. Irgendetwas trieb ihn, ließ ihn nicht zur Ruhe kommen. Hin und wieder geschah es, dass er mich oder unseren Sohn mit diesem Ausdruck ansah, den ich Ihnen beschrieben habe.

Nur, es geschah immer seltener. Es hielt nicht lange an. Der letzte Auftritt war abscheulich. Mutter war dabei. Louis hatte sich Geld aus der Ladenkasse genommen, und sie hat ihn einen Dieb geschimpft. Totenblass hat er dagestanden mit blutunterlaufenen Augen, wie an seinen schlimmen Tagen, und hat uns wie ein Irrer angeglotzt.

Ich sehe ihn immer noch auf mich zukommen, als wolle er mich erwürgen, und in der Verzweiflung habe ich ›Louis‹ geschrien.

Er ist fortgegangen, hat die Tür so heftig hinter sich zugeschlagen, dass die Scheibe zerbrochen ist.

Das war vor zwei Jahren. Ab und zu haben Nachbarinnen ihn noch in der Umgebung gesehen. Ich habe mich bei seiner Fabrik in Belleville nach ihm erkundigt und gehört, dass er nicht mehr dort arbeitete.

Aber jemand hat ihn in der Rue de la Roquette, in einer kleinen Werkstatt, die Bierabfüllmaschinen herstellt, gesehen.

Ich selbst hab ihn nur einmal wiedergesehen, vor etwa sechs Monaten, durchs Schaufenster. Mama, die jetzt wieder mit mir und dem Kleinen zusammenwohnt, war gerade im Laden. Sie hat mich zurückgehalten, als ich zur Tür laufen wollte.

Sie geben mir doch Ihr Wort, dass er nicht gelitten hat, dass er sofort tot war? Er war ein unglücklicher Mensch, meinen Sie nicht auch? Sie müssen das jetzt doch verstehen …«

Sie hatte ihre Erzählung mit einer solchen Intensität

nacherlebt und überhaupt so stark unter dem Einfluss ihres Mannes gestanden, dass sie unbewusst beim Sprechen jeden der von ihr beschriebenen Gesichtsausdrücke wiedergegeben hatte.

Und wieder war Maigret verblüfft über die beunruhigende Ähnlichkeit zwischen dieser Frau und dem Mann, der in Bremen mit den Fingern geschnippt hatte, bevor er sich eine Kugel durch den Kopf jagte.

Schlimmer noch, das verzehrende Fieber, das sie bei ihm beschrieben hatte, schien von ihr selber Besitz ergriffen zu haben. Auch jetzt noch, wo sie schwieg, hörten ihre Nerven nicht auf zu zittern, ihr Atem ging heftig; sie wartete darauf, dass etwas geschah, ohne zu wissen, was es sein würde.

»Hat er nie über seine Vergangenheit oder seine Kindheit gesprochen?«

»Nein. Er war nicht sehr gesprächig. Ich weiß nur, dass er in Aubervilliers geboren ist. Ich hab auch von Anfang an den Eindruck gehabt, dass er eine bessere Schulbildung genossen hatte, als seine Stellung vermuten ließ. Er hatte eine schöne Handschrift und kannte die lateinischen Namen aller Pflanzen. Die Besitzerin der Kurzwarenhandlung nebenan ist immer zu ihm gekommen, wenn sie einen komplizierten Brief schreiben musste.«

»Und Sie haben seine Familie nie kennengelernt?«

»Vor der Hochzeit hat er mir gesagt, er sei Waise. Ich möchte Sie noch etwas fragen, Herr Kommissar: Wird man ihn nach Frankreich überführen?«

Und als er nicht gleich antwortete, fügte sie mit abgewandtem Gesicht, um ihre Verlegenheit zu verbergen, hinzu:

»Die Kräuterhandlung gehört jetzt meiner Mutter…
Und das Geld…! Ich weiß, sie wird nicht für die Überführung der Leiche aufkommen wollen und mir auch das Reisegeld nicht geben, damit ich ihn noch einmal sehen kann. Gibt es in so einem Fall wohl…«

Die Stimme versagte ihr; sie bückte sich hastig, um das Taschentuch, das ihr hinuntergefallen war, aufzuheben.

»Ich werde für die Überführung Ihres Mannes sorgen, Madame.«

Sie dankte ihm mit einem rührenden Lächeln und wischte eine Träne fort.

»Ich fühle es, Sie haben verstanden und denken so wie ich, Herr Kommissar. Es war nicht seine Schuld – er war bloß unglücklich.«

»Verfügte er über größere Geldsummen?«

»Er hatte nur seinen Lohn. Zu Anfang gab er mir jeden Pfennig, aber dann, als er zu trinken begann…«

Wieder das schwache Lächeln, sehr traurig diesmal und doch voller Mitgefühl.

Sie hatte sich etwas beruhigt, als sie hinausging, den schmalen Pelzstreifen mit einer Hand fest an den Hals gepresst, während die Linke immer noch die Handtasche und die eng zusammengefaltete Zeitung hielt.

Die Nummer achtzehn in der Rue de la Roquette war, wie Maigret feststellte, ein Hotel letzter Güteklasse.

Keine fünfzig Meter weiter lag schon die Place de la Bastille und, in sie mündend, auch die für ihre Tanzlokale und Spelunken bekannte Rue de Lappe.

Hier ist jedes Erdgeschoss eine Kneipe und jedes Haus

ein Hotel, umlungert von Strolchen, gewohnheitsmäßigen Nichtstuern, Emigranten und Dirnen.

Inmitten dieses abenteuerlich anmutenden Schlupfwinkels der Unterwelt gibt es aber auch eine kleine Anzahl von Werkstätten, in denen bei offenen Türen gehämmert und geschweißt wird, während draußen auf der Straße schwere Laster hin- und herrollen.

Das emsige Treiben, die Arbeiter, die einer geregelten Tätigkeit nachgehen, die Büroangestellten, die geschäftig ihre Frachtbriefe schwenken, bilden einen starken Kontrast zu den dort herumstrolchenden verkommenen oder dreisten Gestalten.

»Jeunet!«, brummte der Kommissar, als er die Tür zum Hotelempfang im ersten Stock aufstieß.

»Nicht da!«

»Hat er sein Zimmer noch?«

Man witterte die Polizei, antwortete mürrisch.

»Ja, Nummer neunzehn.«

»Wie zahlt er? Wöchentlich? Monatlich?«

»Monatlich.«

»Haben Sie Post für ihn?«

Man versuchte es zuerst mit Tricks, händigte Maigret aber dann doch das Päckchen aus, das Jeunet sich selbst aus Brüssel gesandt hatte.

»Bekam er so was öfter?«

»Gelegentlich…«

»Irgendwelche andere Post?«

»Nein. Insgesamt sind vielleicht drei Päckchen gekommen. Ein ruhiger Mensch. Ich möchte wissen, warum die Polizei ihn schikaniert…«

»Hat er gearbeitet?«

»Ja, in dieser Straße, Nummer fünfundsechzig.«

»Eine feste Stellung?«

»Je nachdem… Mal ein paar Wochen und dann wieder nicht…«

Maigret ließ sich den Zimmerschlüssel geben, aber er entdeckte nichts außer einem Paar ausgedienter Schuhe, deren Sohle sich ganz vom Oberleder gelöst hatte, einem leeren Aspirinröhrchen und einem in eine Ecke geschleuderten Monteursanzug.

Er ging hinab und nahm sich den Hotelier abermals vor. Dabei erfuhr er, dass Louis Jeunet weder Besuch empfangen noch Umgang mit Frauen gepflegt hatte. Von einigen drei- oder viertägigen Reisen abgesehen, hatte er ein recht eintöniges Dasein geführt.

Doch kein Mensch wohnt in dieser Art von Hotel und steigt in so einem Stadtviertel ab, wenn er nicht irgendetwas zu verbergen hat. Das wusste der Hotelier ebensogut wie Maigret. Er gab denn auch knurrend zu:

»Es ist nicht das, was Sie denken. Bei ihm war's der Alkohol; und auch nur hin und wieder mal, wenn's über ihn kam, wenn er seinen Koller kriegte, wie meine Frau und ich das nannten. Er konnte drei Wochen lang völlig solide sein, täglich zur Arbeit gehen, dann folgte eine Phase, in der er sich bis zur Bewusstlosigkeit betrank.«

»Und sonst war nichts Verdächtiges an seinem Verhalten?«

Der Mann zuckte mit den Achseln, wie um auszudrücken, dass er es in seinem Hotel nur mit Leuten zu tun hatte, die sich in irgendeiner Form verdächtig verhielten.

Nummer fünfundsechzig war eine riesige, zur Straße hin offene Werkstatt, in der Maschinen zum Abfüllen von Bier hergestellt wurden. Ein Werkmeister, der das Bild Jeunets in der Zeitung gesehen hatte, empfing Maigret.

»Ich wollte gerade an die Polizei schreiben«, sagte er. »Letzte Woche hat er noch hier gearbeitet. Acht Franc fünfzig die Stunde hat der Bursche verdient!«

»Wenn er überhaupt arbeitete!«

»Sie wissen also Bescheid. Wenn er überhaupt arbeitete! Es gibt 'ne ganze Menge von der Sorte, bloß dass die meist regelmäßig einen über den Durst trinken oder sich am Samstag ordentlich volllaufen lassen. Bei ihm kam das ganz plötzlich, war nicht vorauszusehen, aber dann soff er pausenlos eine Woche lang. Einmal, als wir eine dringende Arbeit zu erledigen hatten, bin ich zu ihm auf sein Zimmer gegangen. Und was soll ich Ihnen sagen? Der lag da und soff, ganz allein, mit der Flasche neben dem Bett… Ich kann Ihnen versichern, es war nicht gerade lustig!«

In Aubervilliers – nichts. Im Geburtenregister war ein Louis Jeunet, Sohn des Tagelöhners Gaston Jeunet und seiner Frau Berthe Marie, geborene Dufoin, Hausangestellte, eingetragen. Gaston Jeunet war vor zehn Jahren gestorben, seine Frau verzogen.

Was Louis Jeunet betraf, so war nur bekannt, dass er vor sechs Jahren von Paris aus eine Geburtsurkunde angefordert hatte.

Das änderte nichts an der Tatsache, dass der Pass falsch war, dass der Mann, der in Bremen Selbstmord verübt hatte, nachdem er die Kräuterhändlerin aus der Rue Picpus geheiratet hatte und Vater eines Sohnes geworden war, nicht der echte Jeunet war!

Auch das Strafregister der Polizei ergab nichts; keine Eintragung unter dem Namen Jeunet, keinerlei Fingerabdrücke, die mit denen des Toten in Deutschland identisch gewesen wären.

Also hatte der Selbstmörder nie etwas mit den Justizbehörden zu tun gehabt, weder in Frankreich noch im Ausland, denn auch die von den meisten europäischen Ländern durchgegebenen Fahndungsberichte waren daraufhin geprüft worden.

Die Spur ließ sich nicht weiter als sechs Jahre zurückverfolgen. Damals hatte ein Louis Jeunet als Fräser gearbeitet und ein ordentliches Leben geführt.

Er hatte geheiratet und war schon zu diesem Zeitpunkt im Besitz des *Anzugs B* gewesen, der Anlass zu der ersten Auseinandersetzung mit seiner Frau gegeben hatte und einige Jahre später die Ursache seines Todes werden sollte.

Er hatte keine Freunde, erhielt keine Post. Er schien Latein gelernt zu haben, was auf eine überdurchschnittliche Schulbildung hinwies.

In seinem Büro verfasste Maigret ein Schreiben an die deutsche Polizei, in dem er die Leiche anforderte, und erledigte einige laufende Arbeiten. Dann öffnete er mit einem grimmigen, angewiderten Gesichtsausdruck abermals den Koffer, dessen Inhalt der Bremer Sachverständige so sorgfältig etikettiert hatte.

Er legte das Päckchen mit den dreißig belgischen Banknoten dazu, wobei ihm plötzlich die Idee kam, die Schnur zu lösen und die Nummern der Scheine zu notieren. Die

Liste schickte er der Brüsseler Sûreté mit der Bitte, die Herkunft der Banknoten zu ermitteln.

Er tat all dies so gewichtig und beflissen, als wolle er sich selber vormachen, dass er sich einer nützlichen Beschäftigung widme.

Von Zeit zu Zeit jedoch verweilte sein Blick mit einem Anflug von Bitterkeit auf den vor ihm ausgebreiteten Fotografien, und seine Hand mit dem Federhalter erstarrte in der Luft, während seine Zähne sich in den Pfeifenstiel gruben.

Gerade hatte er sich zu dem Entschluss durchgerungen, nach Hause zu gehen und seine Nachforschungen auf den nächsten Tag zu verschieben, als ihm ein Anruf aus Reims gemeldet wurde.

Es ging um das in den Zeitungen veröffentlichte Foto. Der Wirt des Café de Paris in der Rue Carnot behauptete, er hätte den Mann sechs Tage zuvor in seinem Lokal gesehen, und wenn er sich seiner so gut erinnerte, dann deshalb, weil er dem schon betrunkenen Gast schließlich die Bedienung hatte verweigern müssen.

Maigret wurde nachdenklich. Zum zweiten Mal war die Rede von Reims, woher auch die Schuhe des Toten stammten. Diese sehr abgenutzten Schuhe mussten aber vor Monaten gekauft worden sein, was bedeutete, dass Louis Jeunet sich nicht zufällig in dieser Stadt aufgehalten hatte.

Eine Stunde später saß der Kommissar im Eilzug nach Reims, wo er um zehn Uhr abends ankam. Das recht luxuriös ausgestattete Café de Paris war voll mit Leuten aus dem gehobenen Mittelstand. An drei Billardtischen wurde gespielt, und an vielen anderen Tischen saßen Kartenspieler.

Es war das traditionelle französische Provinzcafé, dessen Gäste beim Eintritt der Kassiererin die Hand schütteln und von den Kellnern vertraulich mit Namen angeredet werden, dessen Kundschaft sich aus den Mitgliedern der gehobenen Gesellschaft und Vertretern des Handels zusammensetzt.

Hier und da, über den Raum verteilt, sah man die großen, vernickelten Kugeln, die zum Aufbewahren der Putzlappen dienen.

»Ich bin der Kommissar, mit dem Sie vorhin telefoniert haben.«

Der Wirt stand bei der Theke, wo er zugleich das Personal beaufsichtigte und den Billardspielern Ratschläge erteilte.

»Ach so, ja… Nun, ich habe Ihnen alles gesagt, was ich darüber weiß…«

Er senkte die Stimme, ein wenig verlegen:

»Sehen Sie, dort in der Ecke beim dritten Billardtisch hat er gesessen und einen Cognac bestellt, dann noch einen und einen dritten. Es war ungefähr um diese Zeit. Die anderen Gäste haben ihn schief angesehen, weil – tja, wie soll ich sagen? – weil er eben nicht so ganz hierher passte.«

»Hatte er Gepäck bei sich?«

»Einen alten Koffer mit kaputtem Schloss. Ich erinnere mich noch, dass ihm der Koffer beim Hinausgehen aufklappte und alte Klamotten herausfielen. Er hat sich sogar noch eine Schnur geben lassen, um ihn zuzubinden.«

»Hat er mit jemand gesprochen?«

Der Wirt blickte zu einem der Billardspieler, einem hochgewachsenen, schlanken jungen Mann in eleganter

Kleidung, der allem Anschein nach einer dieser versierten Spieler war, deren Karambolagen dem Amateur imponieren.

»Nicht direkt. Wollen Sie nicht etwas trinken? Setzen wir uns doch... Hier, bitte!«

Er wählte einen abseits gelegenen Tisch, auf dem die Tabletts standen.

»Gegen Mitternacht war er so weiß wie der Marmor hier. Er mochte so um die acht oder neun Gläser Cognac getrunken haben. Seine Augen hatten einen starren Ausdruck, der mir nicht gefiel. Auf manch einen wirkt der Alkohol so. Sie regen sich nicht auf, faseln kein dummes Zeug, sondern kippen ganz einfach plötzlich um. Er ist allen aufgefallen. Ich bin dann hingegangen und habe ihm gesagt, dass ich ihm nichts mehr zu trinken geben könne; er hat auch nicht protestiert.«

»Waren noch Billardspieler da?«

»Ja, die dort am dritten Tisch. Das sind Stammgäste, die jeden Abend herkommen und Wettbewerbe veranstalten. Sie gehören zu einem Klub... Der Mann ist aufgestanden und zur Tür gegangen, dabei ist ihm die Sache mit dem Koffer passiert. Ich weiß nicht, wie er es fertiggebracht hat, die Schnur zu knoten, in dem Zustand! Eine halbe Stunde später habe ich das Lokal geschlossen. Die Herren haben sich von mir verabschiedet und sind gegangen. Jemand hat noch gesagt:

›Wir werden ihn wohl irgendwo in der Gosse wiederfinden!‹«

Abermals ruhte der Blick des Wirts auf dem elegant gekleideten Spieler mit den weißen, gepflegten Händen, der tadellosen Krawatte, den Lackschuhen, die bei jedem Schritt um den Billardtisch knirschten.

»Ich kann Ihnen eigentlich auch alles erzählen… obwohl es sich sicher um einen Zufall oder Irrtum handelt. Tags darauf hat mir ein Handelsreisender, der alle Monate herkommt und an dem Abend im Lokal war, berichtet, er habe den Betrunkenen und Monsieur Belloir gegen ein Uhr morgens zusammen gesehen. Er hat sogar beobachtet, wie sie gemeinsam in Monsieur Belloirs Haus gegangen sind.«

»Das ist der große Blonde dort?«

»Ja; er hat ein schönes Haus in der Rue de Vesle, fünf Minuten von hier. Er ist stellvertretender Direktor der Kreditbank.«

»Ist der Handelsreisende hier?«

»Nein. Er macht seine übliche Tour durch den Osten des Landes; vor Mitte November wird er nicht zurück sein. Ich habe ihm gesagt, dass er sich geirrt haben muss, aber er war nicht davon abzubringen. Ich war drauf und dran, es Monsieur Belloir gegenüber zu erwähnen, so zum Spass, aber dann hab ich mich doch nicht getraut. Er hätte es als Beleidigung auffassen können, nicht? Ich möchte Sie auch bitten, von dem, was ich Ihnen gesagt habe, kein Aufhebens zu machen oder zumindest nicht durchblicken zu lassen, dass es von mir kommt. In unserem Beruf…«

Der Billardspieler hatte eine Achtundvierzig-Punkte-Serie beendet. Er warf einen Blick in die Runde, um sich zu vergewissern, dass seine Leistung auch bemerkt worden sei, sah Maigret im Gespräch mit dem Wirt und runzelte unmerklich die Stirn, während er die Spitze seines Queues mit grüner Kreide einrieb.

Denn der Wirt hatte, wie das fast immer der Fall ist, wenn einer Unbefangenheit vorzutäuschen sucht, die ängstlich besorgte Miene eines Verschwörers.

»Sie sind dran, Monsieur Emile!«, rief Belloir ihm zu.

4

Der unerwartete Besucher

Es war ein neues Haus, sein Stil und das gewählte Baumaterial vermittelten den Eindruck von Klarheit, Komfort, unaufdringlicher Modernität und solidem Wohlstand. Roter Backstein, in den Fugen frisch verstrichen, Quadersteine und eine polierte Eichentür mit Kupferbeschlägen.

Es war erst halb neun, als Maigret dort mit dem Hintergedanken auftauchte, so in aller Frühe einen Einblick in das häusliche Leben der Familie Belloir zu erhaschen.

Die Fassade jedenfalls stand im Einklang mit der äußeren Erscheinung des stellvertretenden Bankdirektors, ein Eindruck, der sich noch verstärkte, als eine Hausangestellte in blitzsauberer Schürze die Tür öffnete. Der Flur war geräumig und lief auf eine facettierte Glastür zu; die Wände waren mit Kunstmarmor verkleidet, und der Fußboden aus zweifarbigem Granit hatte ein geometrisches Muster.

Zur linken Hand zweiteilige Flügeltüren aus hellem Eichenholz, die ins Wohn- und Esszimmer führten.

An der Garderobe hing unter anderem der Mantel eines vier- oder fünfjährigen Kindes, und aus einem bauchigen Schirmständer ragte ein Spazierstock mit Goldknauf.

Der Kommissar hatte gerade noch Zeit für einen kurzen Blick, um die ganze Atmosphäre dieser auf soliden Grundlagen ruhenden Existenz auf sich wirken zu lassen, denn kaum hatte er den Namen ›Monsieur Belloir‹ ausgesprochen, als das Dienstmädchen auch schon erwiderte:

»Würden Sie mir bitte folgen? *Die Herren* erwarten Sie.«

Sie ging auf die Glastür zu. Durch den Spalt einer anderen, angelehnten Tür blickte der Kommissar in das behagliche, saubere Esszimmer, wo eine junge Frau im Morgenrock mit einem vierjährigen Jungen an einem hübsch gedeckten Tisch frühstückte.

Hinter der Glastür befand sich eine Treppe aus hellem Holz, ihre Stufen bedeckte ein mit rotem Rankenmuster verzierter, von Kupferstangen gehaltener Läufer.

Auf dem Treppenabsatz eine große Zierpflanze. Schon drückte das Mädchen die Klinke einer weiteren Tür hinunter; man blickte in ein Arbeitszimmer, wo drei Männer gleichzeitig den Kopf wandten. Es wirkte wie ein Schock. In den Blicken spiegelte sich eine drückende Beklommenheit, ja Angst; und nur das Dienstmädchen merkte nichts davon, sagte gänzlich unbefangen:

»Bitte, wenn Sie ablegen möchten…«

Einer der drei Anwesenden war Belloir, untadelig, mit sorgfältig gebürstetem, blondem Haar. Neben ihm ein Mann von weniger gepflegtem Äußeren, den Maigret nicht kannte. Der dritte jedoch war kein anderer als Joseph van Damme, der Bremer Geschäftsmann.

Zwei Stimmen erhoben sich gleichzeitig; Belloir machte mit gerunzelter Stirn einen Schritt nach vorn und sagte etwas trocken und herablassend, was zu seiner Umgebung gut passte:

»Monsieur…?«

Im gleichen Moment aber rief van Damme, um seine gewohnte Spontaneität ringend, aus:

»Na, so was! Das nenn ich einen Zufall, Sie hier wiederzusehen!« – und streckte Maigret die Hand entgegen.

Der dritte schwieg, verfolgte den Auftritt mit verständnislosem Blick.

»Entschuldigen Sie die Störung«, begann der Kommissar, »ich habe nicht damit gerechnet, so früh morgens schon eine Sitzung zu unterbrechen…«

»Aber woher denn? Sie unterbrechen uns ganz und gar nicht!«, protestierte van Damme. »Nehmen Sie doch Platz! Eine Zigarre?«

Auf dem Mahagonischreibtisch stand eine Kiste, die der Geschäftsmann eifrig öffnete und der er eigenhändig und ohne seinen Redeschwall zu unterbrechen eine Havanna entnahm.

»Wo hab ich nur mein Feuerzeug? Ich hoffe, Sie zeigen mich nicht an, weil sie unverzollt sind! Warum haben Sie mir nur in Bremen nicht gesagt, dass Sie Belloir kennen? Wenn ich denke, dass wir die Reise gemeinsam hätten machen können! Ich bin wenige Stunden nach Ihnen losgefahren… Wurde telegrafisch eines Geschäfts wegen nach Paris gerufen und hab die Gelegenheit wahrgenommen, um Belloir guten Tag zu sagen.«

Dieser jedoch verlor nichts von seiner steifen Haltung, blickte vom einen zum anderen, als erwarte er eine Erklärung. Es war denn auch Belloir, dem der Kommissar sich mit den Worten zuwandte:

»Ich werde mich so kurz wie möglich fassen, da Sie Besuch erwarten.«

»Ich…? Wie kommen Sie darauf?«

»Sehr einfach. Ihre Hausangestellte sagte, ich würde erwartet. Da Sie mich aber nicht erwarten konnten, liegt es auf der Hand, dass…«

Er verzog keine Miene, nur seine Augen lachten unwillkürlich.

»Kommissar Maigret, von der Kriminalpolizei! Sie haben mich vielleicht gestern Abend im Café de Paris bemerkt, wo ich gewisse Auskünfte im Zusammenhang mit einem von uns bearbeiteten Fall einholen wollte.«

»Doch wohl nicht die Bremer Geschichte?«, fragte van Damme mit gespielter Nachlässigkeit.

»Doch, allerdings. Dürfte ich Sie, Monsieur Belloir, wohl bitten, sich dies Foto anzusehen und mir zu sagen, ob es sich um denselben Mann handelt, der vergangene Woche nachts bei Ihnen war?«

Er reichte ihm das Bild des Toten. Belloir nahm es, ohne jedoch einen Blick darauf zu werfen, besser gesagt, ohne den Blick darauf verweilen zu lassen.

»Der Mensch ist mir nicht bekannt!«, erklärte er und gab Maigret das Foto zurück.

»Sind Sie sicher, dass es nicht derselbe Mann ist, der Sie angesprochen hat, als Sie aus dem Café de Paris kamen?«

»Ich weiß nicht, was Sie meinen…«

»Entschuldigen Sie, wenn ich Ihnen lästig falle… Ich bemühe mich um eine Auskunft, die übrigens nicht einmal sehr belangreich ist. Und ich habe Sie damit behelligt, weil ich überzeugt war, Sie würden nicht zögern, der Gerechtigkeit einen Dienst zu erweisen. Am bewussten Abend hat in der Nähe des dritten Billardtisches, an dem Sie Ihre Partie austrugen, ein Betrunkener gesessen, der allen Gästen aufgefallen ist. Er hat kurz vor Ihnen das Lokal verlassen und Sie dann, nachdem Sie sich von Ihren Freunden verabschiedet hatten, angesprochen.«

»Ich glaube, ich erinnere mich jetzt. Er hat mich um Feuer gebeten.«

»Und Sie haben ihn zu sich nach Hause genommen, stimmt's?«

Belloirs Lippen kräuselten sich geringschätzig.

»Ich möchte wissen, wer Ihnen dies Märchen aufgetischt hat! Es ist ganz und gar nicht meine Art, Landstreicher aufzulesen.«

»Es hätte sich um einen alten Freund handeln können, oder…«

»Ich bin etwas wählerischer in meinem Umgang.«

»Also sind Sie allein heimgekehrt?«

»Selbstverständlich!«

»War es der Mann, dessen Bild ich Ihnen eben gezeigt habe?«

»Das kann ich nicht sagen… Ich habe ihn gar nicht angesehen.«

Van Damme hatte mit sichtlicher Ungeduld zugehört und wiederholt zu einer Bemerkung angesetzt. Der dritte Mann sah aus dem Fenster, wischte ab und zu über die Scheibe, die sein Atem beschlagen hatte. Er hatte einen kurzen, dunklen Bart und trug die auch heute noch von gewissen Künstlern bevorzugte schwarze Kleidung.

»Dann bleibt mir nichts weiter übrig, als mich bei Ihnen zu bedanken, Monsieur Belloir, und mich nochmals für die Störung zu entschuldigen…«

»Moment, Herr Kommissar!«, warf Joseph van Damme ein. »Sie werden doch nicht einfach so davonlaufen. Bitte, leisten Sie uns noch ein wenig Gesellschaft! Belloir wird uns einen alten Cognac aus seinem Vorrat spendieren... Ich bin Ihnen übrigens böse, dass Sie in Bremen nicht mit mir zu Abend gegessen haben. Ich hab den ganzen Abend auf Sie gewartet.«

»Sind Sie mit dem Zug gekommen?«

»Nein. Ich bin geflogen. Ich reise fast immer im Flugzeug, wie die meisten Geschäftsleute. In Paris bekam ich plötzlich Lust, meinen alten Freund Belloir aufzusuchen. Wir haben zusammen studiert.«

»In Lüttich?«

»Ja. Es ist jetzt an die zehn Jahre her, dass wir uns nicht mehr gesehen haben. Ich wusste nicht mal, dass er verheiratet ist! Zu komisch, ihn als Vater eines strammen Jungen wiederzusehen! – Und Sie sind immer noch mit Ihrem Selbstmörder beschäftigt?«

Belloir hatte inzwischen dem Mädchen geläutet und ihr aufgetragen, Cognac und Gläser zu bringen. Und jede seiner betont langsamen, kontrollierten Gesten verriet eine verhaltene Unruhe.

»Die Ermittlungen haben erst begonnen«, murmelte Maigret beiläufig. »Es ist nicht abzusehen, ob sie lange dauern oder in ein paar Tagen abgeschlossen sein werden.«

Es klingelte an der Haustür, und die drei Männer tauschten verstohlene Blicke. Auf der Treppe wurden Stimmen laut. Ein Mann mit starkem belgischem Akzent sagte:

»Sind sie schon alle oben? – Lassen Sie nur, ich kenne den Weg!«

Von der Tür her rief er:

»Hallo, miteinander!«

Doch der Gruß fiel in ein unnatürliches Schweigen. Der Mann ließ die Augen durch den Raum schweifen, entdeckte Maigret und sah die Freunde fragend an.

»Ihr... habt auf mich gewartet?«

Belloirs Gesicht verkrampfte sich. Er machte einen Schritt auf den Kommissar zu.

»Jef Lombard, ein Freund«, erklärte er gezwungen.

Und darauf, jede Silbe einzeln hervorhebend:

»Kommissar Maigret von der Kriminalpolizei...«

Der Neuankömmling fuhr zusammen, stammelte mechanisch und mit einer komischen Betonung der Worte:

»Oh, fein... Sehr gut!«

Worauf er dem Dienstmädchen verwirrt seinen Mantel reichte und ihr dann noch einmal nachlief, um die Zigaretten aus der Manteltasche zu holen.

»Noch ein Belgier, Herr Kommissar! Sie sind hier in ein richtiges Belgiertreffen geraten. Eine Verschwörung, werden Sie denken... Und wo bleibt der Cognac, Belloir? Eine Zigarre, Herr Kommissar?... Jef Lombard ist der Einzige, der noch in Lüttich wohnt... Zufällig haben wir alle geschäftlich in derselben Gegend zu tun und haben daher beschlossen, die Gelegenheit mit einem Festschmaus zu feiern. Wenn ich mir erlauben dürfte...«

Ein wenig unsicher sah er die anderen an.

»Sie haben das Abendessen versäumt, zu dem ich Sie in Bremen einladen wollte. Kommen Sie doch dafür nachher mit uns essen!«

»Ich habe leider schon etwas vor«, erwiderte Maigret. »Außerdem möchte ich Sie nicht länger von Ihren Geschäften abhalten.«

Jef Lombard war an den Tisch getreten. Er war groß und mager, hatte schlaksige Gliedmassen, unregelmäßige Züge und einen blassen Teint.

»Ach, da ist ja das Bild, das ich suchte!«, sagte der Kommissar wie zu sich selbst. »Ich werde Sie gar nicht erst fragen, ob Sie den Mann kennen, Monsieur Lombard, denn das wäre ein zu ungewöhnlicher Zufall…«

Er hielt ihm aber trotzdem die Fotografie unter die Nase und sah den Adamsapfel des Lüttichers stärker hervortreten und merkwürdig auf und ab hüpfen.

»Kenn ich nicht…«, brachte Lombard endlich mit heiserer Stimme hervor.

Belloirs Fingerspitzen mit den manikürten Nägeln trommelten auf der Schreibtischplatte herum. Joseph van Damme suchte nach einer passenden Bemerkung.

»Dann sehen wir uns also nicht mehr, Herr Kommissar? Fahren Sie zurück nach Paris?«

»Ich bin noch nicht sicher. Wenn Sie mich jetzt entschuldigen wollen, meine Herren…«

Und da van Damme ihm die Hand reichte, waren die anderen gezwungen, dasselbe zu tun. Belloirs Rechte fühlte sich hart und trocken an. Der Bärtige streckte seine nur zögernd hin. Jef Lombard aber steckte sich in einer Ecke des Arbeitszimmers gerade eine Zigarette an und begnügte sich mit einem Murmeln und Kopfnicken.

Maigret ging an der aus einem riesigen Porzellangefäß ragenden Zierpflanze vorbei, stapfte wieder über den Teppich mit den Kupferstangen. Im Flur drangen die schrillen Töne einer stümperhaft gehandhabten Geige an sein Ohr, zusammen mit der Stimme einer Frau, die mahnte:

»Nicht so schnell! Den Ellbogen auf Kinnhöhe! Langsam!«

Es war Madame Belloir mit ihrem Sohn. Von der Straße aus konnte er sie hinter der Wohnzimmergardine erkennen.

Um zwei Uhr, als Maigret eben sein Mittagessen im Café de Paris beendete, sah er van Damme über die Schwelle treten und um sich blicken, als suche er jemanden. Er entdeckte den Kommissar und kam lächelnd mit ausgestreckter Hand auf ihn zu.

»Das nennen Sie also ›etwas anderes vorhaben‹!«, sagte er. »Ganz allein im Restaurant zu Mittag essen… Aber ich verstehe schon. Sie dachten, wir wollten lieber unter uns bleiben.«

Ganz offensichtlich gehörte er zu der Kategorie Menschen, die sich unaufgefordert anderen anschließen und es einfach nicht wahrhaben wollen, dass man sie nicht eben mit Begeisterung empfängt.

Maigret konnte sich das boshafte Vergnügen nicht verkneifen, ausgesprochen kühl zu bleiben, was van Damme nicht davon abhielt, sich an seinem Tisch niederzulassen.

»Sind Sie fertig? Darf ich Ihnen dann ein Gläschen zum Kaffee anbieten? Herr Ober! Nun, was trinken Sie, Herr Kommissar? Wie wär’s mit einem alten Armagnac?«

Er ließ sich die Getränkekarte bringen, rief den Besitzer herbei, entschied sich endlich für einen achtzehnhundertsiebenundsechziger Armagnac und bestand dann noch auf Probiergläsern.

»Übrigens – fahren Sie nun zurück nach Paris? Ich will mich nämlich heute Nachmittag auf den Weg dorthin machen, und da Bahnreisen mir zuwider sind, habe ich vor, einen Wagen zu mieten. Wenn Sie wollen, nehme ich Sie mit. – Was halten Sie von meinen Freunden?«

Kritisch beschnüffelte er den Armagnac und zog ein Zigarrenetui aus der Tasche.

»Bitte, bedienen Sie sich! Sie sind sehr gut. Ein einziges Geschäft in Bremen führt diese Sorte, sie wird direkt aus Havanna importiert!«

Maigrets Gesichtsausdruck war nie unbeteiligter gewesen, sein Blick nie ausdrucksloser.

»Komisch ist das, sich so nach Jahren wiederzusehen«, fing van Damme, scheinbar außerstande, ihr Schweigen zu ertragen, wieder an. »Am Anfang, mit zwanzig, da ist man sozusagen auf derselben Stufe, und wenn man sich dann wieder trifft, kann man nur über die Kluft staunen, die sich zwischen den Einzelnen gebildet hat... Ich will nichts Schlechtes über sie sagen, aber vorhin, bei Belloir, habe ich mich einfach nicht wohl gefühlt.

Diese beklemmende Provinzialität! Und Belloir selbst, so geschniegelt! Aber er hat es doch zu etwas gebracht. Er hat die Tochter von Morvandeau, dem Sprungfederrahmen-Fabrikanten, geheiratet; all seine Schwäger sind in der Industrie. Er selbst hat einen feinen Posten bei der Bank, wird wohl eines Tages zum Direktor avancieren...«

»Und der Kleine mit dem Bart?«, fragte Maigret.

»Der... Er wird es vielleicht mal schaffen. Vorerst, glaube

ich, lebt er von der Hand in den Mund. Er ist Bildhauer in Paris. Angeblich hat er Talent, aber Sie wissen ja, wie das ist. Sie haben ihn ja gesehen in seinem Aufzug aus dem letzten Jahrhundert. Nichts Modernes, nicht die Spur von Geschäftssinn!«

»Und Jef Lombard?«

»Einen prächtigeren Burschen finden Sie weit und breit nicht! Als junger Mann war er das, was man so einen Witzbold nennt; stundenlang konnte man ihm zuhören.

Er wollte Maler werden, hat Zeichnungen für die Zeitungen angefertigt, um sich über Wasser zu halten, und sich dann in Lüttich aufs Druckgewerbe verlegt. Er ist verheiratet. Ich glaube, das dritte Kind ist unterwegs…

Ich kann Ihnen sagen, ich hatte das Gefühl, in dieser Gesellschaft zu ersticken! Kleinbürgerliche Existenzen, belanglose Probleme. Sie können ja nichts dafür, aber ich sehne mich ordentlich danach, mich wieder ins Geschäftsleben zu stürzen!«

Er leerte sein Glas, ließ seinen Blick durch den Speisesaal wandern, in dem sie fast die einzigen Gäste waren. An einem abseits gelegenen Tisch saß ein Kellner und las die Zeitung.

»Also, abgemacht, wir fahren zusammen zurück nach Paris?«

»Nehmen Sie denn den kleinen Bärtigen nicht mit, der Sie herbegleitet hat?«

»Janin? Nein, der sitzt längst im Zug.«

»Verheiratet?«

»Nicht direkt; er hat immer irgendeine Freundin, mit der er zusammenlebt. Mal hält's eine Woche an und mal ein

Jahr, bevor er sie wechselt. Und jedes Mal stellt er einem seine Gefährtin als Madame Janin vor. – Ober, noch mal das Gleiche!«

Von Zeit zu Zeit bemühte sich Maigret, den Blick zu verschleiern, wenn er zu viel Konzentration zu verraten drohte. Der Wirt erschien persönlich, um ihm zu sagen, er werde am Telefon verlangt, denn er hatte die Adresse des Café de Paris beim Polizeipräsidium hinterlassen.

Es war eine Mitteilung aus Brüssel, die der Kriminalpolizei telegrafisch durchgegeben worden war. *Die dreißig Tausendfrancscheine sind einem gewissen Louis Jeunet bei der Banque Générale de Belgique ausgezahlt worden gegen einen mit dem Namen Maurice Belloir gezeichneten Scheck.*

Maigret stieß die Tür der Telefonzelle auf und erblickte van Damme, der sich unbeobachtet glaubte und seine Gesichtsmuskeln hatte erschlaffen lassen. Mit einem Schlag wirkte er weniger offen, weniger rosig, weniger vor Gesundheit und Optimismus strotzend.

Er musste den Blick auf sich gespürt haben, denn er schreckte zusammen und fiel automatisch in die Rolle des munteren Geschäftsmannes zurück.

»Alles klar?«, rief er Maigret entgegen. »Sie kommen mit? – Herr Wirt, würden Sie uns einen Wagen besorgen, der uns hier abholt und nach Paris bringt? Einen bequemen Wagen natürlich! Und während wir warten, lassen Sie unsere Gläser noch einmal nachfüllen.«

Er kaute an seiner Zigarre, und für den Bruchteil einer Sekunde, während seine Augen den Marmortisch fixierten, wurde sein Blick trübe, fielen seine Mundwinkel herab, als habe der Tabak einen bitteren Geschmack hinterlassen.

»Wenn man im Ausland lebt, lernt man die französischen Weine und Spirituosen erst so recht schätzen!«

Die Worte klangen hohl. Man ahnte, dass sich zwischen ihnen und den Gedanken, die sich hinter der Stirn des Mannes abspielten, ein Abgrund auftat.

Draußen auf der Straße ging Jef Lombard vorüber. Die Tüllgardinen ließen die Umrisse seiner Gestalt verschwimmen. Er war allein, ging mit weitausholenden, bedächtigen und abgemessenen Schritten daher, ohne etwas von seiner Umgebung wahrzunehmen.

Er trug eine Reisetasche, die Maigret an die beiden gelben Koffer erinnerte, allerdings war ihre Qualität um einiges besser; sie hatte zwei Riemen und eine Seitentasche für die Visitenkarte.

Seine Absätze waren an einer Seite schon etwas abgelaufen, und seine Kleidung wirkte ungepflegt. Jef Lombard steuerte auf den Bahnhof zu.

Van Dammes Finger zierte ein schwerer Siegelring aus Platin. Er saß da, von einer aromatischen Tabakwolke umgeben, die der durchdringende Dunst des Armagnacs zusätzlich würzte. Im Hintergrund vernahm man das Murmeln des Wirtes, der mit der Garage telefonierte.

Belloir würde jetzt gerade über die Schwelle seines neuen Hauses treten, den Weg zum Marmorportal der Bank einschlagen, während seine Frau das Söhnchen in den Alleen spazieren führte.

Unterwegs würde jedermann ihn grüßen, denn sein Schwiegervater war der bedeutendste Unternehmer der Region, seine Schwäger waren in der Industrie, ihm selbst stand eine glänzende Laufbahn bevor.

Janin dagegen, mit seinem kleinen schwarzen Kinnbart und der Künstlerschleife, saß im Zug nach Paris – in einem Abteil dritter Klasse, hätte Maigret wetten mögen.

Und, auf der untersten Sprosse der Leiter, der blasse Reisende von Neuschanz und Bremen, der Mann der Kräuterhändlerin aus der Rue Picpus, der Fräser aus der Rue de la Roquette, der sich in aller Einsamkeit dem Alkohol hingab, der seine Frau durchs Schaufenster anstarrte und sich selbst Banknoten, wie alte Zeitungen verpackt, schickte, der Wurstbrötchen in Bahnhofsgaststätten kaufte und sich eine Kugel durch den Kopf jagte, weil man ihm einen getragenen Anzug entwendet hatte, der nicht einmal seiner war.

»Sind Sie so weit, Herr Kommissar?«

Maigret schrak zusammen, und der Blick, den er auf seinem Begleiter ruhen ließ, war derart umwölkt, dass dieser verlegen auflachte – ein gezwungenes Lachen! – und stammelte:

»Haben Sie geträumt? Jedenfalls waren Sie mit den Gedanken ganz woanders. Ich wette, es ist immer noch dieser Selbstmörder, der Ihnen Kopfzerbrechen macht!«

Es stimmte nicht ganz, denn in dem Moment, als sein Gedankengang unterbrochen wurde, war Maigret dabei gewesen, eine seltsame Rechnung aufzustellen, und zwar die Addition der in diese Geschichte verwickelten Kinder: eins in der Rue Picpus, zwischen Mutter und Großmutter in einem Lädchen, wo es nach Pfefferminz und Gummi roch; eins in Reims, das gerade lernte, den Ellbogen auf Kinnhöhe zu halten, wenn es den Bogen über die Saiten einer Geige führte; zwei bei Jef Lombard in Lüttich, und dort erwartete man noch ein drittes…

»Ein Glas Armagnac noch, ja?«

»Nein, danke. Das genügt.«

»Also dann, schwingen wir uns in den Sattel oder besser in die Sitze!«

Nur Joseph van Damme lachte, so wie er die ganze Zeit das Bedürfnis zu lachen verspürt hatte. Es war wie bei einem kleinen Jungen, der Angst hat, in den Keller zu gehen, und pfeift, um sich Mut zu machen.

5

Die Panne bei Luzancy

Im Innern des Wagens, der in schneller Fahrt durch die hereinbrechende Nacht rollte, herrschte kaum ein paar Minuten lang Schweigen. Immer wieder schnitt Joseph van Damme ein neues Thema an, und mit Hilfe des Armagnacs gelang es ihm auch, den munteren Ton aufrechtzuerhalten.

Das Auto war eine alte Luxuslimousine mit abgenutzten Polstern, Haltern für Blumenvasen und kunstvoll eingelegten Seitenfächern. Der Chauffeur war im Trenchcoat und hatte einen gestrickten Schal um den Hals.

Sie waren fast zwei Stunden gefahren, als der Chauffeur plötzlich den Fuß vom Gaspedal nahm. Der Wagen hielt am Straßenrand, einen guten Kilometer vom nächsten Dorf entfernt, dessen Lichter hier und da durch den Nebel blinkten.

Nachdem er die Hinterreifen einer eingehenden Prüfung unterzogen hatte, öffnete der Fahrer den Schlag, um ihnen mitzuteilen, ein Reifen sei geplatzt, die Reparatur werde etwa eine Viertelstunde dauern.

Beide Männer stiegen aus, während der Chauffeur schon dabei war, einen Wagenheber unter die Achse zu schieben. Er versicherte ihnen, er brauche keine Hilfe.

Wer von ihnen war es, Maigret oder van Damme, der vorschlug, ein paar Schritte zu gehen? Eigentlich weder der eine noch der andere; es ergab sich ganz von allein. Erst wanderten sie ein Stück die Straße entlang, entdeckten dann einen Seitenweg, der zu einem Fluss mit starker Strömung hinführte.

»Da ist ja die Marne!«, stellte van Damme fest. »Sie führt Hochwasser.«

Gemächlichen Schrittes, ihre Zigarren rauchend, folgten sie dem Weg. Man vernahm ein undeutliches Geräusch, dessen Ursache einem erst klar wurde, wenn man am Ufer des Flusses angekommen war.

Hundert Meter weiter am gegenüberliegenden Ufer nämlich befand sich eine Schleuse, die Schleuse von Luzancy. Sie lag verlassen da, ihre Tore waren geschlossen, und direkt unterhalb der Stelle, wo die beiden Männer standen, lief der Staudamm entlang, über den das weißschäumende Wasser brodelnd und wirbelnd mächtig vorwärts strömte. Die Marne war stark angeschwollen.

In der Dunkelheit vermeinte man, Äste, womöglich ganze Bäume vorbeigleiten zu sehen, die gegen das Wehr geschleudert wurden, bevor die Strömung sie darüber hinwegspülte.

Ein einziges Licht war zu sehen: Es kam von der Schleuse am anderen Ufer.

Genau in diesem Moment setzte Joseph van Damme seine Rede mit den Worten fort:

»Die Deutschen machen Jahr für Jahr die unglaublichsten Anstrengungen, um die Energie der Flüsse zu nutzen, und die Russen folgen ihrem Beispiel. In der Ukraine wird ein Stauwerk gebaut, das hundertzwanzig Millionen Dollar kosten soll; es wird allerdings auch drei Verwaltungsbezirke mit Strom versorgen…«

Bei den Worten ›mit Strom versorgen‹ schwankte seine Stimme unmerklich, fing sich aber gleich darauf wieder. Er musste husten, zog ein Taschentuch hervor, putzte sich die Nase.

Sie standen keinen halben Meter vom Wasser entfernt, als Maigret plötzlich einen Stoß in den Rücken erhielt, das Gleichgewicht verlor, taumelte und sich abrutschend mit beiden Händen ans Gras der Böschung klammerte, die Füße im Wasser, während sein Hut schon über das Wehr trieb.

Was danach geschah, ging sehr schnell, denn der Kommissar hatte mit dem Stoß gerechnet.

Die Erdklumpen unter seiner rechten Hand gaben nach. Die Linke jedoch hatte einen geschmeidigen Ast ergriffen.

Kaum ein paar Sekunden später kniete er wieder auf dem Treidelweg, stand auf und rief der sich entfernenden Gestalt nach:

»Stehenbleiben!«

Seltsamerweise getraute van Damme sich nicht, schnell zu laufen. Er beschleunigte den Schritt nur um ein Geringes und steuerte auf das Auto zu, wobei er sich immer wieder nach Maigret umwandte; seine Beine schienen ihm vor Aufregung den Dienst zu versagen.

Er ließ sich vom Kommissar einholen, mit gesenktem Kopf, den Hals tief in den Mantelkragen gezogen. Er machte nur eine einzige Geste, eine Gebärde, die seine Wut ausdrückte und aussah, als schlüge er mit der geballten Faust auf einen unsichtbaren Tisch. Dabei knirschte er zwischen den Zähnen hervor:

»Idiot!«

Maigret hatte vorsichtshalber den Revolver gezogen, hielt ihn im Anschlag und ließ dabei seinen Begleiter nicht aus den Augen, während er seine bis an die Knie durchtränkten Hosenbeine schüttelte und ihm das Wasser aus den Schuhen lief.

Der Fahrer hupte mehrmals kurz von der Straße her zum Zeichen, dass der Wagen fahrbereit war.

»Vorwärts!«, sagte der Kommissar.

Und wortlos nahmen sie ihre Plätze wieder ein. Van Damme, die Zigarre immer noch zwischen den Zähnen, vermied es, Maigret anzusehen.

So fuhren sie zehn Kilometer, zwanzig Kilometer, rollten mit verringertem Tempo durch eine Ortschaft, deren Straßen belebt und hell erleuchtet waren, und weiter auf der Landstraße.

»Verhaften können Sie mich trotzdem nicht!«

Der Kommissar fuhr zusammen, so unerwartet kam die langsam, in eigensinnigem Ton ausgesprochene Feststellung; und dabei entsprach sie doch genau dem Problem, das auch ihn beschäftigte!

Sie kamen nach Meaux. Auf das flache Land folgte der äußere Ring der Vororte. Es begann zu nieseln, und im Licht der Straßenlaternen nahm jeder Regentropfen die Form eines Sterns an. Den Mund dicht am Sprachrohr, gab der Kommissar die Anweisung:

»Zum Polizeipräsidium, Quai des Orfèvres!«

Er stopfte sich eine Pfeife, konnte sie aber nicht rauchen, weil seine Streichhölzer nass geworden waren. Unmöglich, das abgewandte Gesicht des neben ihm Sitzenden zu erkennen; es war nur noch ein vom Zwielicht scharf umrissenes,

v...enes Profil, und doch spürte man die zornige Erre-
...g des Mannes.

Etwas Unnachgiebiges lag in der Luft, sie war wie geladen
mit einem Gemisch aus Feindseligkeit und Wachsamkeit.

Selbst Maigret schob mit einem Ausdruck von Aggressi-
vität den Unterkiefer leicht vor.

Dies alles äußerte sich dann in Form eines albernen
Zwischenfalls, als der Wagen vor dem Präsidium hielt. Der
Kommissar stieg als Erster aus.

»Los, kommen Sie!«, sagte er.

Der Chauffeur wartete darauf, bezahlt zu werden, und
van Damme tat, als ginge es ihn nichts an. Sekundenlang
herrschte eine allgemeine Unentschlossenheit, bis Maigret,
nicht ohne sich der Komik der Situation bewusst zu werden,
sagte:

»Worauf warten Sie? Sie haben das Auto schließlich gemietet!«

»Verzeihung, aber wenn ich die Reise als Häftling gemacht habe, ist es Ihre Sache, zu zahlen.«

Zeigte das nicht, wie sehr sich ihr Verhältnis zueinander
seit Reims verändert hatte? Welch eine Verwandlung vor
allem mit dem Belgier vorgegangen war?

Maigret zahlte und wies seinem Begleiter wortlos den
Weg. In seinem Büro angelangt, schloss er die Tür hinter
ihnen, worauf seine erste Sorge dem Ofen galt.

Dann ging er an einen Wandschrank, entnahm ihm einige
Kleidungsstücke und wechselte – ohne von dem Besucher
...tiz zu nehmen – Hose, Strümpfe und Schuhe, hängte die
...en Sachen zum Trocknen ans Feuer.

...Damme hatte unaufgefordert Platz genommen. Bei

der hellen Beleuchtung fiel die mit ihm vorgegangene Veränderung noch stärker auf.

All die geheuchelte Gutmütigkeit und Spontaneität, das eher gezwungene Lächeln waren in Luzancy zurückgeblieben. Er saß mit angespannten Zügen da, einen hinterhältigen Ausdruck in den Augen, und wartete.

Maigret fuhr fort, in seinem Büro herumzuwirtschaften, als habe er alles Interesse an dem Besucher verloren. Er ordnete die Akten auf seinem Schreibtisch, rief seinen Chef an und bat um eine Auskunft, die nichts mit dem Fall zu tun hatte.

Schließlich baute er sich vor van Damme auf und fragte:

»Wo, wann und unter welchen Umständen haben Sie den Selbstmörder von Bremen, der sich als Louis Jeunet ausgab, kennengelernt?«

Der andere war nur ganz leicht zusammengezuckt; er hob entschlossen den Kopf und erwiderte:

»In welcher Eigenschaft bin ich hier?«

»Soll das heißen, Sie weigern sich, meine Frage zu beantworten?«

Van Damme lachte. Es war eine neue Art von Lachen, ironisch und boshaft.

»Ich kenne die Gesetze so gut wie Sie, Kommissar. Entweder Sie erheben formell Anklage gegen mich, dann warte ich, bis ich den Haftbefehl vor Augen habe; oder aber Sie tun es nicht, dann verpflichtet mich auch nichts, Ihnen zu antworten.

Im ersten Fall sieht das Gesetz vor, dass ich den Beistand eines Anwalts abwarten kann, bevor ich eine Aussage mache.«

Maigret wurde nicht böse, schien nicht einmal verstimmt über diese Haltung. Im Gegenteil! Voller Interesse, ja vielleicht sogar mit einer gewissen Befriedigung betrachtete er sein Gegenüber.

Der Vorfall bei Luzancy hatte Joseph van Damme gezwungen, sein gekünsteltes Wesen abzulegen; nicht nur das, welches er Maigret gegenüber aufgesetzt hatte, sondern auch das, welches er vor der Welt und sogar vor sich selbst zur Schau zu tragen pflegte.

Kaum noch etwas war übriggeblieben von dem vergnügten, leichtfertigen Bremer Geschäftsmann, dessen Leben sich zwischen großen Weinstuben, seinem modernen Büro und namhaften Restaurants abspielte. Dahin die Unbeschwertheit des erfolgreichen Kaufmanns, der sich mit heiterer Energie, mit dem Appetit des Lebemannes der Arbeit widmet und dem Anhäufen von Geld.

Was blieb, war ein fahles, zerfurchtes Gesicht, und man hätte schwören können, dass sich die Tränensäcke unter seinen Augen im Verlauf der letzten Stunde gebildet hatten.

War van Damme nicht vor einer Stunde noch ein freier Mann gewesen, der – selbst wenn er etwas auf dem Kerbholz hatte – mit der Sicherheit auftrat, die ein guter Ruf, eine gewisse Menge Geld, ein Gewerbeschein und Gewandtheit verleihen?

Er selbst hatte diese Veränderung deutlich gemacht.

In Reims noch hatte er eine Runde nach der anderen spendiert, seinem Begleiter Luxuszigarren angeboten, einem dienstbeflissenen Wirt Aufträge erteilt, der ihm zu Gefallen eine Garage angerufen und dafür gesorgt hatte, dass man den bequemsten Wagen schickte.

Er hatte etwas dargestellt!

In Paris dagegen hatte er sich geweigert, die Reisekosten zu übernehmen, hatte sich auf das Gesetz berufen. Man spürte seine Bereitschaft, zu verhandeln, sich Zoll für Zoll und mit einer Verbissenheit zu verteidigen, als ginge es um seinen Kopf.

Und dabei war er wütend auf sich selbst; das bewies sein Ausruf nach dem Vorfall am Ufer der Marne!

Er hatte nichts geplant, kannte den Chauffeur nicht, und selbst als die Panne passiert war, hatte er nicht gleich daran gedacht, sie auszunutzen.

Erst am Ufer des Flusses, angesichts der Strömung, der Baumstämme, die so leicht wie Laub vorbeitrieben, hatte er törichterweise und ganz ohne Überlegung zu diesem Stoß ausgeholt…

Er tobte innerlich, denn er ahnte jetzt wohl, dass sein Begleiter die Bewegung vorausgesehen hatte.

Zweifellos war er sich sogar bewusst, dass er das Spiel verloren hatte, und war umso entschlossener, sich wie ein Verzweifelter zu wehren.

Er wollte sich gerade eine neue Zigarre anstecken, als Maigret sie ihm aus dem Mund nahm, in den Kohleneimer warf und ihm zugleich den Hut abnahm, den er aufbehalten hatte.

»Ich mache Sie darauf aufmerksam, dass ich nicht viel Zeit habe. Wenn Sie nicht vorhaben, mich den gesetzlichen Vorschriften gemäß zu verhaften, möchte ich Sie ersuchen, mich freizulassen; anderenfalls sähe ich mich gezwungen, Sie wegen willkürlicher Freiheitsberaubung zu verklagen.

Und was das unfreiwillige Bad angeht, das Sie genommen haben, so seien Sie versichert, dass ich alles aufs entschiedenste leugnen werde. Sie sind auf dem nassen Lehmboden des Treidelpfads ausgerutscht… Der Chauffeur wird bestätigen, dass ich keinen Fluchtversuch unternommen habe, wie das der Fall gewesen wäre, wenn ich tatsächlich versucht hätte, Sie ins Wasser zu werfen…

Im Übrigen weiß ich immer noch nicht, was Sie mir eigentlich vorwerfen. Ich bin geschäftlich nach Paris gekommen; das werde ich beweisen. Anschließend habe ich einen alten Schulfreund in Reims besucht, einen ebenso angesehenen Bürger, wie ich selbst es bin.

Ich war naiv genug, Ihnen in Bremen, wo es wenig Franzosen gibt, freundschaftlich entgegenzukommen, Sie zum Essen und Trinken einzuladen und schließlich im Wagen nach Paris mitzunehmen.

Sie haben meinen Freunden und mir das Foto eines Mannes gezeigt, den wir nicht kennen. Er hat Selbstmord begangen! Das ist faktisch bewiesen. Es ist keinerlei Strafantrag gestellt worden – und folglich gibt es auch kein reguläres amtliches Verfahren.

Das ist alles, was ich Ihnen zu sagen habe.«

Maigret steckte sich mit Hilfe eines zusammengefalteten Papierstreifens, den er in den Ofen gehalten hatte, seine Pfeife an und sagte beiläufig:

»Sie sind absolut frei…«

Er konnte sich ein Lächeln nicht verkneifen, so fassungslos war van Damme über diesen allzu leichten Sieg.

»Was soll das heißen?«

»Dass Sie frei sind, weiter nichts! Außerdem bin ich gerne

bereit, mich für Ihr Entgegenkommen zu revanchieren und Sie zum Abendessen einzuladen.«

Selten war er so vergnügt gewesen. Der andere starrte ihn entgeistert und etwas entsetzt an, als enthalte jedes dieser Worte eine versteckte Drohung. Dann erhob er sich zögernd.

»Es steht mir also frei, nach Bremen zurückzukehren?«

»Warum nicht? Sie selbst haben mir doch eben erklärt, dass Sie sich keinerlei strafbaren Handlung schuldig gemacht hätten.«

Für einen Moment schien es, als würde van Damme seine Selbstsicherheit wiederfinden und seine gute Laune, würde womöglich gar die Einladung zum Essen annehmen und sein Verhalten bei Luzancy als Ungeschicklichkeit oder dummen Streich auslegen.

Aber Maigrets Lächeln ließ diese optimistische Anwandlung im Keim ersticken. Van Damme griff nach seinem Hut, setzte ihn mit einer schroffen Gebärde auf.

»Was schulde ich Ihnen für den Wagen?«

»Ganz und gar nichts. Es war mir ein Vergnügen, Ihnen gefällig sein zu können.«

War da nicht ein Zittern um Joseph van Dammes Lippen? Er wusste nicht, wie er seinen Abgang handhaben sollte, suchte nach einer Entgegnung, zuckte schließlich mit den Achseln und wandte sich brummelnd zur Tür. Schwer zu sagen, auf wen oder was sich das Wort bezog, das er beim Hinausgehen knurrte: »Idiot!«

Im Treppenhaus wiederholte er es noch einmal, während der Kommissar ihm, die Ellbogen auf das Geländer gestützt, nachblickte.

Soeben kam Wachtmeister Lucas auf dem Weg zum Büro des Chefs mit einem Stapel Akten vorbei.

»Schnell, schnapp dir Mantel und Hut und bleib dem Kerl dort auf den Fersen! Folg ihm bis ans Ende der Welt, wenn's sich nicht vermeiden lässt.«

Damit nahm Maigret dem Untergebenen die Akten ab.

Der Kommissar hatte gerade eine Reihe Antragsformulare ausgefüllt, die – jeweils mit einem Namen versehen – an die verschiedenen Gendarmerieposten übermittelt und mit genauer Auskunft über die Betroffenen zurückkommen würden. Es handelte sich um: Maurice Belloir, stellvertretender Bankdirektor, Rue de Vesle, Reims, gebürtig aus Lüttich; Jef Lombard, Fotograveur, wohnhaft in Lüttich; Gaston Janin, Bildhauer, Rue Lepic, Paris; und Joseph van Damme, Handelsvertreter in Bremen.

Er war bei dem letzten Formular angelangt, als ihm der Bürodiener meldete, ein Mann wünsche ihn im Zusammenhang mit dem Selbstmord Louis Jeunets zu sprechen.

Es war schon spät und die meisten Büros der Kriminalpolizei leer. Nur im Nachbarraum tippte noch ein Inspektor seinen Bericht.

»Führen Sie ihn herein!«

Der Besucher blieb bei der Tür stehen. Er wirkte unsicher oder furchtsam, bereute womöglich schon, den Schritt unternommen zu haben.

»Treten Sie näher! Nehmen Sie Platz!«

Ein Blick genügte Maigret, um ihn einzuschätzen. Er war groß und dürr, sehr blond und schlecht rasiert. Seine abgetragene Kleidung erinnerte an die Louis Jeunets: der Mantel, an dem ein Knopf fehlte, dessen Kragen speckig und dessen Aufschläge verstaubt waren.

Noch an anderen Kleinigkeiten, an seiner Art, sich zu geben, sich zu setzen, um sich zu blicken, erkannte der Kommissar den Gelegenheitsarbeiter, der sein Unbehagen der Polizei gegenüber auch dann nicht recht abzuschütteln vermag, wenn er sich einmal nichts hat zuschulden kommen lassen.

»Sie kommen wegen dem Bild, das die Zeitungen gebracht haben? Warum haben Sie sich nicht gleich gemeldet? Das Foto ist vor drei Tagen erschienen.«

»Ich lese keine Zeitung«, begann der Mann, »meine Frau hat zufällig mit den Einkäufen ein Blatt als Einwickelpapier heimgebracht…«

Irgendwo waren Maigret dieses lebhafte Mienenspiel, das unablässige Beben der Nasenflügel und vor allem dieser fast krankhaft unstete Blick schon einmal aufgefallen.

»Haben Sie Louis Jeunet gekannt?«

»Ich weiß nicht… Das Bild ist schlecht, aber es könnte… Ich glaube, es ist mein Bruder.«

Unwillkürlich stieß Maigret einen Seufzer der Erleichterung aus, und in dem Gefühl, das ganze Geheimnis werde sich nun mit einem Mal lüften, schlenderte er zum Ofen hinüber und baute sich dort in einer Haltung auf, die er nur einnahm, wenn er guter Laune war.

»Dann heißen Sie Jeunet?«

»Nein, das ist es eben. Deshalb bin ich auch nicht gleich gekommen. Aber es ist mein Bruder! Jetzt, wo ich ein besseres Foto auf Ihrem Schreibtisch sehe, bin ich ganz sicher. Diese Narbe da! Ich verstehe bloß nicht, warum er sich umgebracht hat, und vor allem, weshalb er den Namen gewechselt hat.«

»Wie heißen Sie?«

»Armand Lecocq d'Arneville. Ich habe meine Papiere dabei…«

Und wieder verriet die Geste, mit der seine Hand in die Tasche fuhr, um einen schmierigen Pass zutage zu fördern, den Herumtreiber, der daran gewöhnt ist, verdächtigt zu werden und sich ausweisen zu müssen.

»D'Arneville, mit einem kleinen d und Apostroph?«

»Ja.«

»Sie sind in Lüttich geboren«, fuhr der Kommissar nach einem Blick in den Pass fort, »fünfunddreißig Jahre alt und von Beruf…?«

»Momentan bin ich Bürodiener bei einer Fabrik in Issy-les-Moulineaux. Wir wohnen in Grenelle, meine Frau und ich.«

»Hier steht Maschinenschlosser.«

»Das war ich früher. Ich hab überall mal die Nase reingesteckt.«

»Sogar ins Gefängnis!«, stellte Maigret, in dem Pass blätternd, fest. »Sie sind Deserteur…«

»Es gab eine Amnestie… Lassen Sie mich erklären! Mein Vater hatte Geld, er war Leiter einer Reifenhandlung, aber er hat meine Mutter verlassen, als ich erst sechs Jahre alt war und mein Bruder Jean drei. So hat alles angefangen.

Wir mussten in eine kleine Wohnung in der Rue de la Province in Lüttich ziehen. Zuerst hat mein Vater uns noch ziemlich regelmäßig Geld überwiesen.

Er selbst lebte auf großem Fuß, hielt sich Mätressen. Einmal, als er uns das Unterhaltsgeld brachte, hatte er eine Frau dabei, die unten im Wagen auf ihn wartete.

Es gab unerfreuliche Auftritte. Vater zahlte nicht mehr oder nur noch einen Teil des Geldes. Mutter hat als Putzfrau gearbeitet und ist mit der Zeit halb verrückt geworden. Nicht so verrückt, dass sie in eine Anstalt musste, aber sie sprach Leute an, um ihnen etwas vorzujammern, und weinte auf offener Straße.

Meinen Bruder habe ich kaum gesehen. Ich trieb mich mit den Jungen aus der Nachbarschaft herum. X-mal wurden wir auf die Polizeiwache gebracht, bis sie mich dann bei einem Eisenwarenhändler in die Lehre gegeben haben.

Ich bin so wenig wie möglich heimgegangen, wo Mutter immerfort heulte und wo all die alten Weiber aus der Nachbarschaft hockten und einander etwas vorplärrten.

Mit sechzehn bin ich zum Militär gegangen, hab mich gleich für den Kongo gemeldet. Da bin ich aber bloß einen Monat geblieben. Acht Tage hab ich mich in Matadi versteckt und mich dann auf einem Dampfer, der nach Europa zurückfuhr, als blinder Passagier eingeschifft.

Sie haben mich entdeckt; ich musste ins Gefängnis. Dann bin ich ausgebrochen und nach Frankreich rüber. Dort hab ich in allen möglichen Berufen gearbeitet…

Ich hab gehungert und in den Markthallen geschlafen. Mag sein, dass ich mich nicht immer glorreich verhalten habe, aber seit vier Jahren, darauf geb ich Ihnen mein Wort, führe ich ein ordentliches Leben!

Ich hab sogar geheiratet! Meine Frau ist Fabrikarbeiterin. Sie hat die Stellung nicht aufgegeben, denn gut verdiene ich nicht, und manchmal bin ich auch arbeitslos.

Ich hab nie versucht, nach Belgien zurückzugehen. Meine Mutter soll in einer Irrenanstalt gestorben sein, hat man mir erzählt, und mein Vater lebt anscheinend noch.

Aber er hat sich eh nie um uns gekümmert. Er hat eine neue Familie …«

Der Mann verzog die Lippen zu einem schiefen, Entschuldigung heischenden Lächeln.

»Und was ist mit Ihrem Bruder?«

»Bei ihm war es ganz anders. Jean war ein gewissenhafter Junge. Er bekam ein Stipendium, um aufs Gymnasium gehen zu können. Er war erst dreizehn, als ich Belgien verließ und in den Kongo ging. Seither habe ich ihn nicht mehr gesehen.

Nur hin und wieder, wenn ich zufällig jemand aus Lüttich traf, habe ich etwas über ihn erfahren. Irgendjemand soll dafür gesorgt haben, dass er zur Universität gehen konnte.

Das war vor zehn Jahren. Niemand von den Leuten, die mir seitdem über den Weg gelaufen sind, hat mir etwas über ihn sagen können; manche meinten, er müsse ins Ausland gegangen sein, weil man so gar nichts mehr von ihm hörte.

Das war vielleicht ein Schlag, als ich die Fotografie sah! Und besonders der Gedanke, dass er in Bremen umgekommen ist, unter einem falschen Namen …

Sie werden das vielleicht nicht verstehen … Bei mir ist von Anfang an alles schiefgegangen; ich habe versagt, hab Dummheiten gemacht.

Aber wenn ich an Jean denke, wie er mit dreizehn war … Wir sahen uns ähnlich, nur war er irgendwie ausgeglichener, ernsthafter eben. Er las damals schon Gedichte und hockte nächtelang über seinen Büchern, ganz allein, beim Licht von Kerzenstummeln, die ihm ein Küster schenkte.

Ich war überzeugt, dass er es zu etwas bringen würde, denn – sehen Sie – schon als Junge lag ihm nichts ferner, als auf der Straße herumzulungern. Das ging so weit, dass die Gassenjungen unseres Viertels sich über ihn lustig machten.

Ich dagegen war immer knapp bei Kasse, hab mich nicht einmal gescheut, es unserer Mutter abzubetteln, die sich alles, was sie mir gab, vom Munde absparen musste. Sie liebte uns über alles… Mit sechzehn ist man eben gedankenlos. Ich weiß heute noch, wie abscheulich ich mich einmal aufführte, bloß weil ich einem Mädchen versprochen hatte, mit ihr ins Kino zu gehen.

Mutter hatte keinen Centime, und ich hab geheult, gedroht, bis sie schließlich losgezogen ist und die Medikamente verkauft hat, die ihr irgendein Wohltätigkeitsverein gegeben hatte.

Sehen Sie jetzt, was ich meine? Und nun ist es ausgerechnet Jean, der dort auf diese Art umkommen musste, unter einem falschen Namen!

Ich weiß nicht, was er angestellt hat. Aber ich kann mir nicht vorstellen, dass er so wie ich auf die schiefe Bahn geraten ist, und Sie würden genauso denken, wenn Sie ihn als Kind gekannt hätten.

Wissen Sie etwas darüber?«

Maigret gab ihm den Pass zurück und fragte:

»Kennen Sie jemanden in Lüttich mit Namen Belloir, van Damme, Janin oder Lombard?«

»Einen Belloir schon… Der Vater war Arzt in unserm

Viertel. Der Junge studierte. Aber das waren gutgestellte Leute, mit denen ich nichts zu tun hatte.«

»Und die anderen?«

»Der Name van Damme kommt mir bekannt vor. Ich glaube, es gab ein großes Kolonialwarengeschäft in der Rue de la Cathédrale, das so hieß. Aber das alles liegt so weit zurück.«

Armand Lecocq d'Arneville zögerte einen Moment, bevor er hinzufügte:

»Könnte ich wohl Jeans Leiche sehen? Ist sie überführt worden?«

»Sie trifft morgen in Paris ein.«

»Und es besteht kein Zweifel, dass er sich das Leben genommen hat?«

Maigret wandte sich ab, unangenehm berührt bei dem Gedanken, dass er dessen nur allzu gewiss war, dass er dem Drama persönlich beigewohnt, es gar unwissentlich herbeigeführt hatte.

Sein Gesprächspartner drehte die Mütze in den Händen, verlagerte das Gewicht von einem Bein aufs andere, während er darauf wartete, verabschiedet zu werden. Seine tief in den Höhlen liegenden Augen, die Pupillen, die wie graue Konfetti unter den blassen Lidern umherirrten, beschworen so eindringlich den demütig-gepeinigten Blick des Reisenden von Neuschanz herauf, dass es Maigret einen scharfen Stich – nicht unähnlich Gewissensbissen – in der Herzgegend gab.

6

Die Gehängten

Es war neun Uhr abends, und Maigret hatte es sich in seiner Wohnung am Boulevard Richard-Lenoir ohne falschen Kragen und Weste bequem gemacht, seine Frau saß über ihrer Näharbeit, als Wachtmeister Lucas eintrat und seine vom strömenden Regen völlig durchnässten Schultern schüttelte.

»Der Mann ist abgereist«, sagte er. »Ich war nicht sicher, ob ich ihm ins Ausland folgen sollte.«

»Nach Lüttich?«

»Ja. Sie wissen schon Bescheid? Sein Gepäck war im Hôtel du Louvre. Er hat dort zu Abend gegessen, sich umgezogen und dann den Schnellzug um acht Uhr neunzehn nach Lüttich genommen. Hinfahrtbillett erster Klasse. Am Bahnhofskiosk hat er noch einen ganzen Stapel Zeitschriften gekauft…«

»Man könnte meinen, er läuft mir absichtlich andauernd über den Weg!«, brummte der Kommissar. »In Bremen, als ich noch nicht die geringste Ahnung von seiner Existenz hatte, ist er im Leichenschauhaus aufgetaucht, hat mich zum Essen eingeladen, sich wie eine Klette an mich gehängt… Ich komme nach Paris: und er ist auch da, ein paar Stunden früher oder später als ich; früher höchstwahrscheinlich, da er ja das Flugzeug genommen hat… Ich fahre nach Reims, und er ist vor mir da … Vor einer Stunde nun habe ich beschlossen, mich morgen nach Lüttich aufzumachen, und siehe da, er ist schon seit heute Abend dort! Aber, was mich bei der Sache am meisten ärgert, ist, dass er genau weiß, dass ich kommen werde, und dass seine Anwesenheit dort fast Grund zu einer Anklage liefert.«

Und Lucas, der nichts über den Fall wusste, äußerte die Vermutung:

»Vielleicht versucht er, den Verdacht auf sich zu lenken, um jemand anderen zu schützen.«

»Geht es um ein Verbrechen?«, fragte Madame Maigret friedfertig und ohne ihre Näharbeit zu unterbrechen.

Ihr Mann aber erhob sich seufzend und mit einem sehnsüchtigen Blick auf den Sessel, in dem er es sich einen Moment zuvor so bequem gemacht hatte.

»Um wie viel Uhr geht der nächste Zug nach Belgien?«

»Jetzt bleibt bloß noch der Nachtzug um einundzwanzig Uhr dreißig. Er ist gegen sechs Uhr früh in Lüttich.«

»Bist du so gut und packst meine Sachen?«, bat der Kommissar seine Frau. »Was zu trinken, Lucas? Nimm dir, was du möchtest. Du weißt ja, in welchem Schrank. Meine Schwägerin hat mir gerade einen selbstgebrauten Schlehenlikör aus dem Elsaß geschickt; die Flasche mit dem langen Hals da!« Er zog sich an, nahm den *Anzug B* aus dem gelben Kunststoffkoffer und legte ihn gut verpackt in seine Reisetasche. Eine halbe Stunde später verließ er die Wohnung in Begleitung des Wachtmeisters, der, während sie miteinander auf ein Taxi warteten, fragte:

»Was für ein Fall ist das eigentlich? Im Haus hat ihn noch keiner erwähnt.«

»Ich kann dir auch nicht viel mehr darüber sagen«, gestand der Kommissar. »Da ist so ein komischer Knabe auf die absurdeste Art vor meinen Augen ums Leben gekommen, und diesen Vorgang umgibt ein höllisches Durcheinander, das ich zu entwirren versuche. Ich bin da wie ein Wildschwein mitten reingestürzt, und es würde mich gar nicht wundern, wenn ich eine Schlappe einstecken müsste... Da ist ein Wagen! Soll ich dich in der Stadt absetzen?«

Um acht Uhr morgens trat er frisch gebadet und rasiert aus dem Hôtel du Chemin de Fer gegenüber vom Lütticher Guillemins-Bahnhof, ein Päckchen unterm Arm, das nicht mehr den ganzen *Anzug B,* sondern nur dessen Jacke enthielt. Er fand die Rue Haute-Sauvenière, eine leicht abfallende, verkehrsreiche Straße, und erkundigte sich nach dem Schneider Morcel. Das Haus, das man ihm wies, war düster. Ein Mann in Hemdsärmeln nahm ihm das Jackett ab, drehte und wendete es, wobei er unaufhörlich Fragen stellte.

»Ein sehr altes Stück«, versicherte er nach einiger Überlegung. »Das Gewebe ist zerrissen; damit kann man nichts mehr anfangen.«

»Sonst sagt es Ihnen nichts?«

»Ganz und gar nichts. Der Kragen ist schlecht zugeschnitten, der Stoff eine Imitation englischen Tuchs aus Verviers...«

Er begann sich zu erwärmen.

»Sind Sie Franzose? Die Jacke gehört wohl einem Bekannten?«

Seufzend nahm Maigret das Kleidungsstück wieder an

sich, während der Schneider weiterschwatzte und endlich zu dem Punkt gelangte, bei dem er hätte anfangen sollen:

»Sie müssen verstehen, ich bin erst seit sechs Monaten hier. Wenn der Anzug von mir wäre, könnte er noch nicht in diesem Zustand sein.«

»Und was ist aus Monsieur Morcel geworden?«

»Der ist in Robermont!«

»Ist das weit?«

Der Schneider lachte und erklärte, sichtlich vergnügt über das Missverständnis:

»Der Friedhof hier heißt Robermont! Monsieur Morcel ist Anfang des Jahres gestorben. Ich hab das Geschäft übernommen.«

Wieder draußen mit seinem Paket, schlug Maigret den Weg zur Rue Hors-Château, einer der ältesten Straßen der Stadt, ein. Dort, im hintersten Winkel eines Hofes, war eine Zinktafel mit der Aufschrift *Fotogravüre – Jef Lombard – prompte Ausführung aller Aufträge* angebracht.

Die Fenster im Altlüttcher Stil waren in lauter kleine Scheiben aufgeteilt, und in der Mitte des Hofes mit seinem holprigen Kopfsteinpflaster stand ein Springbrunnen, in den das Wappen einer herrschaftlichen Familie aus vergangenen Zeiten eingemeißelt war.

Der Kommissar klingelte. Er hörte Schritte aus dem ersten Stock herabkommen. Eine alte Frau öffnete ihm einen Spaltbreit und deutete zu einer Glastür hin.

»Sie brauchen sie nur aufzustoßen; die Werkstatt liegt am Ende des Flurs.«

Die Werkstatt war ein langer, durch eine breite Fensterfläche erhellter Raum, in dem zwei Männer in blauen Kitteln mit Zinkplatten und Behältern voller Säure hantierten. Über den Fußboden verstreut lagen Probeabzüge und mit Druckerschwärze bekleckste Blätter.

Plakate und die Titelseiten von Illustrierten bedeckten die Wände.

»Ich möchte zu Monsieur Lombard.«

»Er ist mit einem Herrn in seinem Büro. Sie können gleich hier durchgehen. Vorsicht, dass Sie sich nicht schmutzig machen! Dort links, die erste Tür!«

Das Gebäude musste stückweise errichtet worden sein. Da waren Stufen, die hinauf-, und andere, die hinabführten, offenstehende Türen gaben den Blick auf unbenutzte Räume frei.

Das Ganze wirkte zugleich altertümlich und auf eine seltsame Art bieder, so wie auch die alte Frau, die Maigret eingelassen hatte, und die beiden Arbeiter in der Werkstatt.

In einem spärlich beleuchteten Korridor drangen Stimmen an Maigrets Ohr. Ihm war, als könne er den Tonfall van Dammes erkennen; er lauschte, doch es war zu undeutlich, als dass er etwas hätte verstehen können. Nachdem er ein paar Schritte weitergegangen war, verstummten die Stimmen. Ein Mann streckte den Kopf durch einen Türspalt. Es war Jef Lombard.

»Suchen Sie mich?«, rief er, da er den Besucher im Halbdunkel nicht erkannte.

Das Büro war kleiner als die übrigen Räume. Seine Einrichtung bestand aus einem Tisch, zwei Stühlen und Regalen voller Druckplatten. Auf der Tischplatte häufte sich ein Wirrwarr von Rechnungen, Prospekten und Geschäftsbriefen mit dem Aufdruck verschiedener Firmen.

Van Damme saß auf einer Kante des Schreibtisches, wo er nach einem kurzen Nicken in Maigrets Richtung unbeweglich verharrte, den Blick missmutig geradeaus gerichtet.

Jef Lombard trug Arbeitskleidung, seine Hände waren schmutzig, das Gesicht voll schwärzlicher Spritzer.

»Was kann ich für Sie tun?«

Er schob Maigret einen Stuhl hin, dessen Sitzfläche er zuvor von einem Stapel Papier befreien musste, suchte dann die glimmende Zigarette, die er auf einem Regal abgelegt hatte, dessen Holz bereits zu sengen begann.

»Ich hätte nur gern eine Auskunft«, erwiderte der Kommissar, ohne sich zu setzen. »Entschuldigen Sie die Störung … Ich möchte lediglich wissen, ob Sie vor einigen Jahren einen gewissen Jean Lecocq d'Arneville gekannt haben.«

Es wirkte wie ein elektrischer Schlag. Van Damme zuckte zusammen, vermied es jedoch, sich Maigret zuzuwenden; der andere aber bückte sich hastig nach einem zerknüllten Blatt Papier am Boden.

»Ich… mir ist, als hätte ich den Namen schon gehört…«, murmelte er. »Ein… einer von hier – aus Lüttich?«

Sein Gesicht war bleich; er rückte einen Stapel Druckplatten an eine andere Stelle.

»Ich weiß nicht, was aus ihm geworden ist. Er… es ist so lange her!«

»Jef! Schnell, Jef!«, erscholl eine weibliche Stimme aus dem Gewirr der Korridore, und atemlos vom Laufen, am ganzen Körper zitternd vor Aufregung, hielt die Frau bei der offenen Tür inne, betupfte sich das Gesicht mit einem Schürzenzipfel. Maigret erkannte die Alte wieder, die ihn eingelassen hatte.

»Jef!«

Und er, fahl vor Erregung, mit glänzenden Augen:

»Nun sag doch schon!«

»Es ist ein Mädchen! Komm, schnell!«

Er warf einen Blick in die Runde und stürzte, etwas Unverständliches stammelnd, hinaus.

Allein mit dem Kommissar, zog van Damme eine Zigarre aus der Tasche, zündete sie bedächtig an und trat das Streichholz mit dem Absatz aus. Seine Züge waren so verkniffen wie damals im Polizeipräsidium, die Lippen ebenso schmal zusammengepresst, und auch die Kinnladen traten auf die gleiche Weise hervor.

Der Kommissar jedoch tat so, als habe er seine Anwesenheit vergessen. Er begann, die Hände in den Taschen, die Pfeife zwischen den Zähnen, im Büro auf und ab zu gehen und musterte dabei aufmerksam die Wände.

Überall, wo keine Regale angebracht waren, hingen Zeichnungen, Radierungen, Gemälde so dicht beieinander, dass kaum noch ein Zentimeter Tapete sichtbar war.

Die Bilder waren ungerahmt, die Leinwand einfach auf Leisten gespannt. Es waren recht ungelenke Landschaften, Gras und Blattwerk der Bäume in demselben dick aufgetragenen Grün gehalten.

Dazu einige Karikaturen mit dem Namenszug ›Jef‹, zum Teil aquarellierte Zeichnungen, zum Teil Ausschnitte aus Lokalblättern.

Maigrets Interesse jedoch erregte eine Anzahl von Zeichnungen ganz anderer Art, allesamt Variationen desselben Motivs. Die Blätter waren vergilbt, hin und wieder mit einem Datum versehen, das auf ihre Entstehung vor etwa zehn Jahren schließen ließ.

Sie waren von ganz anderer Beschaffenheit, wesentlich romantischer, fast ein wenig so, wie ein Anfänger den Stil Gustave Dorés imitieren würde.

Da war erst einmal die Federzeichnung eines Gehängten, der an einem Galgen baumelte, auf dem ein riesiger Rabe hockte. Aber es gab noch mindestens zwanzig solcher Arbeiten, die sich mit diesem Thema, dem des Erhängens, befassten: Bleistiftzeichnungen, Federzeichnungen und Radierungen.

Ein Waldrand mit einem Gehängten an jedem Ast… Ein Kirchturm, wo an beiden Querbalken des Kreuzes, unter dem Wetterhahn, ein menschlicher Körper hing.

Alle Arten von Gehängten. Einige waren nach der Mode des sechzehnten Jahrhunderts gekleidet, bei einer Art Stelldichein der Galgenvögel, wo die ganze Gesellschaft einige Fuß hoch über der Erde pendelte…

Sogar ein Verrückter war darunter, der sich in Frack und Zylinder, den Spazierstock in der Hand, an einer Gaslaterne erhängt hatte.

Unter einer der Zeichnungen standen ein paar Zeilen. Es waren vier Verse aus Villons *Ballade der Gehängten*.

Und wieder Daten, immer aus derselben Zeit! All diese schaurigen, zehn Jahre zuvor angefertigten Zeichnungen hingen hier neben Bilderfolgen für Witzblätter, neben Kalenderentwürfen, Ardennenlandschaften und Werbeplakaten.

Auch das Motiv des Kirchturms tauchte fortwährend auf, und die ganze Kirche, mal von vorn, mal von der Seite, mal von unten gesehen, mal nur das Portal, die Wasserspeier, oder der Vorplatz mit den sechs Stufen, welche in dieser Perspektive ungeheuerlich erschienen.

Immer dieselbe Kirche! Und wie Maigret so Wand für Wand abschritt, spürte er, wie van Damme zunehmend unruhig wurde, spürte das wachsende Unbehagen des Mannes, den womöglich dieselbe Versuchung wie bei der Schleuse von Luzancy plagte.

So verging eine Viertelstunde, dann kam Jef Lombard zurück. Seine Augen schimmerten feucht, und er strich eine Haarsträhne zurück, die ihm in die Stirn fiel.

»Sie müssen entschuldigen«, sagte er, »meine Frau hat eben ein Kind zur Welt gebracht – ein Mädchen...«

Ein Anflug von Stolz schwang mit in seiner Stimme, zugleich aber irrte sein Blick beim Sprechen mit einem gequälten Ausdruck von Maigret zu van Damme.

»Es ist unser drittes Kind; trotzdem nimmt es mich genauso mit wie beim ersten Mal! – Sie haben meine Schwiegermutter gesehen, nicht? Die hat selbst elf zur Welt gebracht und ist doch ganz außer sich vor Freude. Sie ist gleich mit der guten Nachricht zu den Arbeitern gelaufen, wollte sie aus der Werkstatt holen, um ihnen das Baby zu zeigen!«

Sein Blick folgte dem Maigrets, der auf den Kirchturm mit den beiden Gehängten gerichtet war. Er wurde noch nervöser, murmelte sichtlich betreten:

»Jugendsünden! Eine sehr schlechte Zeichnung, aber damals glaubte ich noch, mal ein großer Künstler zu werden.«

»Ist das eine Kirche hier in Lüttich?«

Jef zögerte mit der Antwort. Beinahe widerwillig erklärte er:

»Sie steht nicht mehr… Ist vor sieben Jahren abgerissen worden, um einer neuen Platz zu machen. Sie war nicht schön, hatte eigentlich überhaupt keinen Stil, aber durch ihr Alter wirkte sie irgendwie geheimnisvoll in der Form, mit den Gassen ringsumher, die inzwischen auch verschwunden sind…«

»Und wie hieß sie?«

»Saint-Pholien. Die neue, die an derselben Stelle steht, heißt auch so.«

Joseph van Damme bewegte sich jetzt, als schmerzten ihn sämtliche Nerven; es war eine innere Unruhe, die sich nur durch kaum merkliche Anzeichen verriet, durch sein unregelmäßiges Atmen, das Beben der Finger, das Vibrieren seines am Schreibtisch aufgestützten Beins.

»Waren Sie damals schon verheiratet?«, fragte Maigret.

Lombard lachte.

»Ich war neunzehn, ging auf die Akademie. – Hier, sehen Sie!«

Wehmütig wies er auf ein misslungenes Porträt in düsteren Tönen, auf dem sein Gesicht trotzdem wegen seiner auffallend unregelmäßigen Züge zu erkennen war. Es zeigte ihn mit langem, in den Nacken fallendem Haar und einem schwarzen, hochgeschlossenen Kittel, über den sich eine weitausladende Künstlerschleife bauschte.

Von solch ungezügelter Romantik war das Bild, dass selbst der traditionelle Totenschädel im Hintergrund nicht fehlte.

»Wenn man mir damals gesagt hätte, dass ich einmal Fotograveur werden würde!«, bemerkte Jef Lombard bitter.

Er schien van Dammes Gegenwart jetzt genauso lästig zu

finden wie die Maigrets, wusste aber offenbar nicht, wie er die beiden loswerden sollte.

Ein Arbeiter kam, um sich nach einem Klischee zu erkundigen, das noch nicht fertig war.

»Sie sollen heute Nachmittag wiederkommen!«

»Das ist offenbar zu spät.«

»Nicht zu ändern! Sag, dass ich eine Tochter bekommen habe!«

Aus seinen Augen, seinen Gesten, der Blässe seines mit Säureflecken besprenkelten Gesichts sprach eine undefinierbare Mischung aus Freude, Unruhe und vielleicht sogar Furcht.

»Darf ich Ihnen etwas anbieten? Drüben, in der Wohnung…«

Zu dritt gingen sie die verschachtelten Korridore entlang und durch die Tür, welche die Alte Maigret vorhin geöffnet hatte.

Ein Hausflur mit blauen Kacheln, in dem es nach Reinlichkeit roch, gleichzeitig aber auch nach verbrauchter Luft, die Ausdünstungen eines Krankenzimmers vielleicht.

»Die beiden anderen Kinder sind bei meinem Schwager. Hier entlang!«

Jef Lombard öffnete die Tür zum Esszimmer. Durch die kleinen Fensterscheiben drang nur wenig Tageslicht in den Raum, das auf den überall zwischen den dunklen Möbelstücken verteilten kupfernen Ziergeräten spielte.

An der Wand hing ein großes Frauenporträt mit dem Namenszug ›Jef‹, das trotz ungeschickter Ausführung sehr deutlich das Bemühen des Malers erkennen ließ, das Modell idealisiert darzustellen.

Es muss Lombards Frau sein, folgerte Maigret und ließ den Blick über die anderen Wände schweifen. Wie erwartet, fand er noch mehr Gehängte. Und zwar die gelungensten, die, welche man für wert erachtet hatte, gerahmt zu werden.

»Sie trinken doch ein Glas Genever?«

Der Kommissar spürte den gehässigen Blick Joseph van Dammes auf sich, den jede Einzelheit dieser Zusammenkunft zu empören schien.

»Sie sagten vorhin, Sie hätten Jean Lecocq d'Arneville gekannt…«

Über ihren Köpfen waren Schritte zu vernehmen: dort, wo das Zimmer der Wöchnerin liegen musste.

»Nur oberflächlich…«, kam es zerstreut von Jef Lombard, den ein leises Wimmern aufhorchen ließ.

Er hob sein Glas.

»Auf die Gesundheit meiner Tochter! Und meiner Frau!«

Damit wandte er abrupt den Kopf, leerte das Glas in einem Zug und machte sich bei der Anrichte zu schaffen, um seinen inneren Aufruhr zu verbergen; doch dem Kommissar entging nicht das kaum vernehmbare Geräusch eines unterdrückten Schluchzers.

»Ich muss jetzt hinauf! Entschuldigen Sie! Aber an so einem Tag…«

Noch immer hatten van Damme und Maigret kein Wort miteinander gewechselt. Während sie nun gemeinsam über den Hof und dicht an dem Brunnen vorbeischritten, betrachtete der Kommissar seinen Begleiter mit einem Ausdruck von Ironie und fragte sich dabei, was er wohl als Nächstes tun werde.

Auf der Straße angelangt, tippte van Damme jedoch nur kurz an den Rand seines Hutes und entfernte sich eilig nach rechts.

In Lüttich gibt es wenig Taxis, und da Maigret nicht mit den Straßenbahnlinien vertraut war, ging er zu Fuß zurück ins Hôtel du Chemin de Fer, nahm dort sein Mittagessen ein und informierte sich über die Lokalzeitungen.

Um zwei Uhr betrat er das Verlagsgebäude der Zeitung *Die Maas,* das Joseph van Damme im gleichen Augenblick verließ. Die beiden Männer gingen in einem Meter Entfernung grußlos aneinander vorbei, und der Kommissar brummelte halblaut:

»Ist der doch schon wieder vor mir da!«

Er wandte sich an einen Bürodiener und bat um Erlaubnis, die Archive der Zeitungen einzusehen, musste ein Formular ausfüllen und die Genehmigung eines Ressortleiters abwarten.

Gewisse Einzelheiten hatten ihm zu denken gegeben: Der Zeitpunkt, zu dem Armand Lecocq d'Arneville erfahren hatte, dass sein Bruder nicht mehr in Lüttich war, fiel in etwa mit dem zusammen, zu dem Jef Lombard mit krankhafter Besessenheit Gehängte gemalt hatte.

Und der *Anzug B,* den der Landstreicher von Neuschanz und Bremen in seinem gelben Koffer herumgeschleppt hatte, war sehr alt – mindestens sechs Jahre, hatte der deutsche Sachverständige gesagt – vielleicht aber auch zehn!

Und sprach nicht die Tatsache, dass Joseph van Damme hier bei der Zeitung *Die Maas* aufgetaucht war, schon für sich?

Maigret wurde in einen Raum geführt, dessen spiegelglattes Parkett an eine Eisbahn erinnerte. Er war ausgestattet mit pompösen, feierlich wirkenden Möbeln.

»Welchen Jahresband möchten Sie gern einsehen?«, fragte der Bürodiener mit der Silberkette.

Maigret hatte bereits die dicken, rings um den Raum aufgestellten Pappordner erblickt, von denen ein jeder die Zeitungen eines Jahres enthielt.

»Ich finde es schon selbst«, sagte er.

Es roch nach Bohnerwachs, altem Papier und amtlichem Prunk. An dem mit Moleskin überzogenen Tisch waren Ständer zum Halten der unhandlichen Bände angebracht. Alles machte einen so sauberen Eindruck, war so ordentlich und von solcher Nüchternheit, dass sich der Kommissar kaum getraute, seine Pfeife hervorzuziehen.

Sekunden später blätterte er die Zeitungen aus dem »Jahr der Gehängten« eine nach der anderen durch.

Tausende von Überschriften zogen an seinen Augen vorbei; manche riefen die Erinnerung an Ereignisse von weltweiter Bedeutung wach, andere bezogen sich auf den lokalen Bereich, so etwa der Brand eines großen Geschäfts (drei Tage lang eine ganze Seite!), der Rücktritt eines Stadtrats, die Fahrgelderhöhung bei der Straßenbahn.

Und dann plötzlich Reißspuren scharf am Einband entlang: Die Nummer vom fünfzehnten Februar war gewaltsam herausgetrennt worden.

Maigret eilte ins Vorzimmer, holte den Bürodiener herbei.

»Jemand ist kurz vor mir hiergewesen und hat nach diesem Band gefragt, stimmt's?«

»Ja. Er ist nur fünf Minuten geblieben.«

»Sind Sie aus Lüttich? Erinnern Sie sich, was in jenem Jahr geschehen sein könnte?«

»Ich muss mal überlegen… Zehn Jahre… Das wäre das Jahr, in dem meine Schwägerin gestorben ist… Ich weiß! Da hatten wir die große Überschwemmung! Die Beerdigung musste um acht Tage verschoben werden, weil man die Straßen in der Nähe der Maas nur noch mit dem Boot befahren konnte… Lesen Sie doch die Artikel! *Der König und die Königin zu Besuch bei den Überschwemmungsopfern*… Da sind auch Fotos… Na, so etwas! Da fehlt ja eine Nummer…! Wie merkwürdig! Das muss ich aber dem Verlagsleiter melden…«

Maigret bückte sich nach einem Schnipsel Zeitungspapier, der zu Boden gefallen war, als Joseph van Damme – wer sonst? – die Blätter der Ausgabe vom fünfzehnten Februar herausgerissen hatte.

7

Die drei

In Lüttich gibt es vier Tageszeitungen. Maigret benötigte zwei Stunden dazu, all die Redaktionen abzuklappern, und wie erwartet, fehlte überall eine Nummer im Archiv: die des fünfzehnten Februar.

Das Leben der Stadt spielte sich vor allem in einem Quadrat von Straßen, *Carré* genannt, ab, wo sich die besten Geschäfte, großen Brasserien, Kinos und Tanzbars befinden.

Dort trifft sich alle Welt, und der Kommissar erblickte Joseph van Damme mindestens dreimal, wie er, den Spazierstock schwenkend, dort auf und ab promenierte.

Bei seiner Rückkehr ins Hôtel du Chemin de Fer fand Maigret zwei Nachrichten vor. Einmal ein Telegramm von Lucas, dem er vor seiner Abreise noch einige Aufträge erteilt hatte:

Haben Asche im Ofen von Louis Jeunets Zimmer Rue Roquette entdeckt – Stop – Sachverständigenuntersuchung ergibt Reste belgischer und französischer Banknoten – Stop – Menge lässt große Summe vermuten – Stop

Dann einen Brief, den ein Bote im Hotel abgegeben hatte. Er war mit der Maschine geschrieben, auf neutralem Papier von der Sorte, wie es in Büros für Durchschläge benutzt wird, und lautete folgendermaßen:

> *Sehr geehrter Herr Kommissar!*
> *Ich erlaube mir, Ihnen mitzuteilen, dass ich gewillt bin, Ihnen all die Ihren gegenwärtigen Ermittlungen dienlichen Auskünfte zu erteilen.*
> *Da die Umstände mich zur Vorsicht zwingen, wäre ich Ihnen verpflichtet, wenn Sie – falls mein Vorschlag Sie interessiert – heute Abend gegen elf Uhr ins Café de la Bourse hinter dem Théâtre Royal kommen könnten.*
> *In dieser Erwartung verbleibe ich mit vorzüglicher Hochachtung…*

Keine Unterschrift. Stattdessen die in einem solchen Schreiben eher ungewöhnlich anmutenden Floskeln aus der Handelssprache wie: *Ich erlaube mir, Ihnen mitzuteilen…, wäre ich Ihnen verpflichtet…, falls mein Vorschlag Sie interessiert…, in dieser Erwartung…, mit vorzüglicher Hochachtung…*

Während Maigret allein zu Abend aß, wurde ihm bewusst, dass seine Gedanken fast unmerklich eine neue Richtung eingeschlagen hatten. Er dachte weniger an Jean Lecocq d'Arneville alias Louis Jeunet, der sich in einem Bremer Hotelzimmer erschossen hatte.

Dafür hörten Jef Lombards Kunstwerke nicht auf, ihn zu verfolgen; diese Gehängten, die überall aufgeknüpft waren, am Kreuz einer Kirchturmspitze, an den Bäumen eines Waldes, am Nagel in einer Mansarde. Gehängte, mal grotesk, mal schaurig dargestellt, mit dunkelroten oder bleichen Gesichtern und nach der Mode sämtlicher Epochen gekleidet.

Um halb elf machte er sich auf den Weg zum Stadttheater und stieß fünf Minuten vor elf die Tür des Café de la Bourse auf. Ein kleines, ruhiges Lokal, dessen Kundschaft sich aus Stammgästen und vor allem aus Kartenspielern zusammensetzte.

Dort erwartete ihn eine Überraschung: An einem Ecktisch bei der Theke saßen drei Männer, und zwar Maurice Belloir, Jef Lombard und Joseph van Damme.

Einen Augenblick lang, während der Kellner dem Kommissar aus dem Mantel half, herrschte Unschlüssigkeit auf beiden Seiten. Belloir erhob sich halb und deutete mechanisch einen Gruß an. Van Damme rührte sich nicht. Lombard, dessen Gesicht eine unglaubliche Nervosität verriet, rutschte auf seinem Stuhl hin und her und wartete ab, wie sich seine Begleiter verhalten würden.

Würde Maigret auf sie zutreten, ihnen die Hand geben, sich an ihrem Tisch niederlassen? Schließlich kannte er sie, hatte mit dem Bremer Geschäftsmann zu Mittag gegessen, bei Belloir in Reims einen Cognac getrunken und Jef Lombard erst am Vormittag einen Besuch abgestattet …

»Guten Abend, Messieurs!«

Er begrüßte jeden Einzelnen mit dem ihm eigenen kräftigen Händedruck, der in gewissen Momenten etwas von einer Drohung an sich haben konnte.

»Welch ein Zufall, Sie hier wiederzusehen!«

Auf der Wandbank neben van Damme war noch ein Platz frei. Er ließ sich dort nieder und sagte, zu dem Kellner gewandt:

»Ein großes Helles!«

Danach herrschte Schweigen, ein undurchdringliches, gespanntes Schweigen. Van Damme starrte verbissen vor sich hin. Jef Lombard rutschte weiter auf seinem Stuhl hin und her, als fühle er sich nicht recht wohl in seiner Haut. Belloir, steif und frostig, betrachtete seine Fingernägel, entfernte mit der Spitze eines Streichholzes ein winziges Fleckchen unter dem Nagel des Zeigefingers.

»Wie geht es Ihrer Frau, Monsieur Lombard?«

Jefs Blick irrte, nach einem Halt suchend, durch den Raum, heftete sich an den Ofen, während er stammelte:

»Sehr gut, danke…«

Über dem Schanktisch hing eine Uhr, und Maigret zählte fünf volle Minuten, in denen kein weiteres Wort zwischen ihnen gesprochen wurde. Van Damme hatte seine Zigarre ausgehen lassen. Er war der Einzige, der aus seinem Hass kein Hehl machte.

Jef bot den interessantesten Anblick. Zweifellos hatten die Ereignisse dieses Tages dazu beigetragen, seine Nerven aufs äußerste anzuspannen, denn jeder noch so winzige Muskel seines Gesichts zuckte unkontrollierbar.

Der Tisch, an dem die vier Männer saßen, war eine regelrechte Oase des Schweigens inmitten dieses Lokals, wo alles laut durcheinanderredete.

»Und *Re-belote*!«, kam es triumphierend von einem der Kartenspieler rechts von ihnen.

»*Tierce haute!*«, folgte zögernd das Echo von der anderen Seite. »In Ordnung?«

»Drei Bier! Drei!«, brüllte der Kellner.

Überall war Leben, war Bewegung, bis auf den Tisch mit

den vier Männern, um den sich allmählich eine unsichtbare Mauer zu bilden schien.

Jef war es, der den Bann brach. Er biss sich auf die Unterlippe, sprang plötzlich auf und stieß hervor:

»Dann eben nicht!« Ein durchdringender, gepeinigter Blick streifte die Freunde, dann griff er nach Mantel und Hut, stürzte zur Tür und stieß sie heftig auf.

»Ich wette, er bricht in Tränen aus, sobald er draußen ist«, bemerkte Maigret versonnen.

Er nämlich hatte die Wut und Verzweiflung des Fotograveurs gespürt, den Schluchzer, der seine Brust zu sprengen drohte, seinen Adamsapfel beben ließ.

Er wandte sich zu van Damme herum, der die marmorne Tischplatte betrachtete, leerte sein Glas bis zur Hälfte und wischte sich mit dem Handrücken über die Lippen.

Die Atmosphäre war die Gleiche, wenn auch zehnmal so geladen wie in Belloirs Haus in Reims, wo Maigret dieselben Männer durch seine Gegenwart in Verlegenheit gebracht hatte; und die imposante Körpermasse des Kommissars trug noch dazu bei, seiner Anwesenheit, die er ihnen aufzwang, einen bedrohlichen Charakter zu verleihen.

Er war groß und breit gebaut, breit vor allem, klobig und robust, wobei das Ungeschlachte seines Körperbaus noch durch seine nachlässige Kleidung hervorgehoben wurde. Seine Züge waren grob, die Augen vermochten mühelos einen Ausdruck animalischen Stumpfsinns anzunehmen.

Damit glich er einer jener Gestalten aus Kinderalpträumen, deren monströs aufgedunsene, ausdruckslose Gesichter auf den Schlafenden zukommen, als wollten sie ihn zermalmen.

Von seiner gesamten Erscheinung ging etwas Unerbittliches, Unmenschliches aus, das an einen Dickhäuter denken ließ, der auf ein Ziel zustapft und sich von keiner Macht der Welt mehr davon abbringen lässt.

Er trank sein Bier, rauchte seine Pfeife und beobachtete mit Genugtuung den Zeiger der Uhr, der ruckartig, mit einem metallischen Klicken, von Minute zu Minute sprang. Eine nichtssagende Uhr.

Es hatte den Anschein, als sei seine Umgebung ihm völlig gleichgültig, und doch entging ihm keine noch so winzige Bewegung zur Rechten oder zur Linken.

Es war eine der merkwürdigsten Stunden seines Lebens, denn auf diese Weise verging fast eine Stunde! Genau zweiundfünfzig Minuten dauerte dieser Nervenkrieg!

Jef Lombard war gleich zu Anfang schon außer Gefecht gesetzt worden; die beiden anderen jedoch hielten durch.

Und er saß da, zwischen ihnen, wie ein Richter. Ein Richter, der nicht anklagt, dessen Gedanken nicht zu erraten sind. Was wusste er? Warum war er gekommen? Worauf wartete er? Hoffte er auf ein Wort, eine Geste, die seinen Verdacht bestätigen würden? Hatte er längst alles durchschaut, oder war es nur ein Bluff?

Was ließ sich noch sagen? Sollte man dies nochmals einen Zufall, ein unerwartetes Zusammentreffen nennen?

Schweigen. Ein jeder wartete, ohne zu wissen, worauf. Ein jeder erwartete irgendetwas. Aber nichts geschah!

Bei jeder Minute, die verstrich, erbebte der Zeiger der Uhr, vernahm man ein leichtes Schnarren des Uhrwerks. Anfangs war es nicht zu hören gewesen, nun war es geradezu unerträglich laut. Und die Bewegung des Zeigers selbst zerfiel in drei verschiedene Phasen: erst ein Klicken, dann setzte sich der Zeiger in Bewegung, dann eine Wiederholung desselben Geräusches, wie um ihn an seinem neuen Platz einzurasten. Und jedes Mal änderte sich das Gesicht der Uhr; der stumpfe Winkel wurde nach und nach zu einem spitzen, in dem Maße, wie die Zeiger sich aufeinander zubewegten.

Immer wieder streifte der erstaunte Blick des Kellners die trübsinnige Tischgesellschaft. Maurice Belloir schluckte von Zeit zu Zeit; Maigret brauchte gar nicht hinzusehen, um es zu bemerken. Er fühlte den Pulsschlag des Mannes, seinen Atem, merkte, wie er sich verkrampfte, hin und wieder vorsichtig mit den Füßen scharrte, als befände er sich in einer Kapelle.

Das Lokal begann sich zu leeren. Die roten Decken und Spielkarten verschwanden von den Tischen, bleich schimmerten die marmornen Tischplatten. Der Kellner ging hinaus, um die Läden zu schließen, und die Wirtin ordnete die Spielmarken ihrem Wert nach in kleine Häufchen.

»Bleiben Sie noch?«, fragte Belloir schließlich mit einer Stimme, die kaum wiederzuerkennen war.

»Und Sie?«

»Ich … ich weiß nicht.«

Daraufhin klopfte van Damme mit einem Geldstück auf den Tisch und fragte den Kellner:

»Was macht das?«

»Die ganze Runde? Neun Franc fünfundsiebzig.«

Sie standen gleichzeitig auf, vermieden es, sich anzusehen, während der Kellner ihnen nacheinander in den Mantel half.

»Gute Nacht, Messieurs!«

Draußen herrschte Nebel, das Licht der Straßenlaternen war kaum zu sehen. Alle Fensterläden waren verriegelt. Irgendwo in der Ferne hallten Schritte über das Trottoir.

Sie zögerten, unentschlossen, welche Richtung sie einschlagen sollten. Keiner der drei wollte die Führung übernehmen. Hinter ihnen wurde die Tür des Lokals abgeschlossen und der Sicherheitsriegel vorgeschoben.

Etwas weiter links bog eine schmale Gasse mit alten Häusern ab, deren Fronten eine unregelmäßige Linie bildeten.

»Dann also…«, sagte Maigret, »wünsche ich Ihnen eine gute Nacht, Messieurs!«

Zuerst drückte er Belloir die Hand, dessen Finger sich kalt und nervös anfühlten, dann reichte ihm van Damme widerstrebend seine feuchte, schlaffe Rechte.

Der Kommissar schlug den Kragen seines Mantels hoch, räusperte sich und begann – eine einsame Gestalt –, die verlassene Straße hinabzuschreiten. Und dabei war seine ganze Aufmerksamkeit darauf gerichtet, das leiseste Geräusch, die unmerklichste Bewegung in der Luft wahrzunehmen, die ihm als Warnung dienen konnte.

Seine Hand umspannte den Griff des Revolvers in der Manteltasche. Er vermeinte, zur Linken, in dem Gewirr enger Gässchen, das einer Aussätzigeninsel gleich inmitten des Zentrums von Lüttich liegt, das Geräusch eiliger, verstohlener Schritte zu hören.

Ihm war, als vernehme er das Gemurmel unterdrückter Stimmen, ohne sagen zu können, ob es von weit her oder aus nächster Nähe kam, denn der Nebel täuschte die Sinne.

Und jäh warf er sich zur Seite, presste seinen Körper gegen eine Tür, im selben Moment, als es neben ihm trocken knallte und jemand, so schnell er nur konnte, in der Dunkelheit davonrannte.

Maigret ging ein paar Schritte weiter, ließ den Blick die Gasse hinabschweifen, aus der der Schuss gekommen war. Er sah nichts außer den dunkleren Stellen, wo Einfahrten abzweigen mochten, und ganz am Ende, in zweihundert Meter Entfernung, die Milchglaskugel vor einer Pommes-frites-Bude.

Sekunden später kam er an diesem Laden vorbei, eben als ein Straßenmädchen mit einer Tüte goldgelber Pommes frites aus der Tür trat. Sie warf ihm einen halbherzig auffordernden Blick zu und wandte sich einer besser beleuchteten Straße entgegen.

Maigret sah friedlich aus, wie er die Feder beim Schreiben mit dem breiten Zeigefinger auf das Papier drückte und von Zeit zu Zeit die Glut in seiner Pfeife nachstopfte.

Er saß in seinem Zimmer im Hôtel du Chemin de Fer, und das Leuchtzifferblatt der Bahnhofsuhr, das man durchs Fenster sehen konnte, wies darauf hin, dass es zwei Uhr morgens war.

Mein lieber Lucas!

Da man nie wissen kann, was passiert, anbei einige Hinweise, die es Dir gegebenenfalls ermöglichen werden, die von mir eingeleiteten Ermittlungen fortzusetzen.

1. Letzte Woche hat ein ärmlich gekleideter, wie ein Landstreicher wirkender Mann in Brüssel dreißig

Tausendfrancscheine verpackt und an seine eigene Adresse, in der *Rue de la Roquette in Paris*, geschickt. *Nachforschungen haben ergeben, dass er sich des öfteren solch bedeutende Beträge geschickt hat*, ohne aber von dem Geld Gebrauch zu machen. *Ein Beweis dafür ist die Tatsache, dass in seinem Zimmer die Asche einer größeren Menge absichtlich verbrannter Banknoten gefunden wurde.*

Der Mann hat unter dem Namen Louis Jeunet gelebt und mehr oder weniger regelmäßig in einer Werkstatt in derselben Straße gearbeitet, in der er wohnte.

Er war verheiratet (siehe Madame Jeunet, Kräuterhandlung, Rue Picpus) und hat ein Kind. Er hat jedoch Frau und Kind unter merkwürdigen Umständen und nach schweren Trunksuchtsanfällen verlassen.

Nachdem er das Geld abgeschickt hatte, kaufte er einen Koffer, um darin Dinge, die er in seinem Hotelzimmer hatte, zu verstauen. Diesen Koffer habe ich während seiner Reise nach Bremen gegen einen anderen vertauscht.

Und Jeunet, der vorher keinen Selbstmordgedanken zu hegen schien und sich mit Proviant zum Abendbrot versorgt hatte, *hat sich, als er bemerkte, dass ihm sein Eigentum entwendet worden war, das Leben genommen.*

Es handelt sich dabei um einen alten Anzug, der nicht seiner war und vor Jahren – im Verlauf eines Kampfes wahrscheinlich – zerrissen und mit Blut durchtränkt wurde. Der Anzug ist in Lüttich hergestellt worden.

In Bremen ist ein Mann mit dem Namen Joseph van Damme aufgetaucht, ein in Lüttich geborener Handelsvertreter, um sich die Leiche anzusehen.

In Paris habe ich erfahren, dass Louis Jeunet eigentlich ein gewisser in Lüttich geborener Jean Lecocq d'Arneville war, von dem man seit langem nichts mehr gehört hatte. Er hat die höhere Schule und anschließend die Universität besucht. In Lüttich, das er vor etwa zehn Jahren verließ, liegt nichts gegen ihn vor.

2. Vor seiner Abreise nach Brüssel ist Jean Lecocq d'Arneville in Reims dabei beobachtet worden, wie er des Nachts das Haus von Maurice Belloir aufsuchte, einem stellvertretenden Bankdirektor und geborenen Lütticher, welcher jedoch das Zusammentreffen leugnet.

Aber die aus Brüssel abgeschickten dreißigtausend Franc stammen von demselben Belloir.

In Belloirs Haus bin ich folgenden Leuten begegnet: van Damme, der mit dem Flugzeug aus Bremen gekommen war; Jef Lombard, einem Fotograveur aus Lüttich, *und Gaston Janin, der ebenfalls* in dieser Stadt *geboren ist.*

Auf meiner Rückreise nach Paris in Begleitung von van Damme hat dieser versucht, mich in die Marne zu stoßen.

Und in Lüttich *habe ich ihn bei Jef Lombard wiedergetroffen. Dieser Lombard hat sich vor zehn Jahren der Malerei gewidmet; die Wände seines Hauses sind mit Bildern aus dieser Zeit bedeckt, die alle Gehängte darstellen.*

Bei allen Zeitungen, die ich aufgesucht habe, ist die Nummer vom fünfzehnten Februar des Entstehungsjahres der Gehängten von van Damme vorher herausgerissen worden.

Am Abend habe ich einen anonymen Brief erhalten, in dem mir umfassende Aufklärung versprochen wurde; Treffpunkt war ein Lokal in der Stadt. Dort habe ich jedoch nicht einen Mann, sondern drei vorgefunden; nämlich Belloir (aus Reims angereist), van Damme und Jef Lombard.

Ihr Verhalten mir gegenüber war gezwungen. Meines Erachtens hatte sich einer der drei entschlossen zu sprechen, und die anderen sind nur gekommen, um ihn daran zu hindern.

Jef Lombard ist plötzlich mit allen Anzeichen überreizter Nerven davongestürzt. Ich bin mit den anderen dortgeblieben, habe mich nach Mitternacht draußen im Nebel von ihnen verabschiedet, und kurz darauf ist ein Schuss auf mich abgefeuert worden.

Daraus habe ich gefolgert, dass zwar einer der drei hatte sprechen wollen, dass aber andererseits auch einer von ihnen versucht hat, mich aus dem Wege zu räumen.

Und da das Unterfangen des Letzteren einem Schuldbekenntnis gleichkommt, scheint es mir, dass dem Verantwortlichen keine andere Wahl bleibt, als es nochmals und diesmal mit mehr Erfolg zu versuchen.

Aber welcher ist es? Belloir, van Damme, Jef Lombard?

Ich werde es erst erfahren, wenn er den nächsten

Schritt unternimmt. Da man mit einem Unglücksfall rechnen muss, schicke ich Dir auf alle Fälle diese Aufzeichnungen, die es Dir ermöglichen werden, die Untersuchung von Anfang an nachzuvollziehen.

Was die persönlichen Hintergründe des Falles angeht, so verweise ich Dich insbesondere an Madame Jeunet und Armand Lecocq d'Arneville, den Bruder des Toten.

Und nun gehe ich schlafen. Grüß alle von mir.

Maigret

Über Nacht hatte sich der Nebel gelichtet und auf den Bäumen, auf jedem Grashalm des Parks, den Maigret durchquerte, glitzernde Reifperlen zurückgelassen.

Frostig strahlte die Sonne von einem blassblauen Himmel herab und verwandelte den Rauhreif von einer Minute zur nächsten in winzige, glasklare Wassertropfen, die auf den Kies herabfielen.

Es war acht Uhr morgens, und der Kommissar durchmaß mit weitausholendem Schritt das menschenleere Carré, wo die Tafeln mit den Kinoplakaten noch an den herabgelassenen Rollläden lehnten.

Maigret blieb bei einem Briefkasten stehen, um seinen Brief an Wachtmeister Lucas einzustecken; dabei blickte er ein wenig beunruhigt um sich.

Irgendwo in dieser Straße, in diesen von goldenem Sonnenlicht durchfluteten Straßen, gab es einen Mann, der in diesem Moment an ihn dachte, dem kein anderer Ausweg mehr blieb, als ihn zu töten. Dieser Mann war dem Kommissar gegenüber im Vorteil, denn er kannte sich hier aus;

das hatte er in der vergangenen Nacht unter Beweis gestellt, als er in den verworrenen Gassen entkommen war.

Außerdem kannte er Maigret, beobachtete ihn vielleicht sogar in diesem Augenblick, wohingegen der Kommissar nicht wusste, wer sein Verfolger war.

War es Jef Lombard? Lauerte die Gefahr in dem alten Haus in der Rue Hors-Château, wo im ersten Stock eine Wöchnerin, bewacht von ihrer biederen Mama, ruhte, wo die Arbeiter gleichmütig von einem Säurebecken zum anderen schlurften, ohne sich von den Grobheiten ungeduldiger Zeitungsausträger beeindrucken zu lassen?

Oder war es Joseph van Damme, der finster und zornig, dreist und verschlagen dem Kommissar an einem Ort auflauerte, *von dem er annehmen konnte, dass dieser dort einmal erscheinen würde*?

Denn van Damme war es, der seit dem Vorfall in Bremen die Situation stets richtig eingeschätzt hatte! Eine kurze Notiz in den deutschen Zeitungen hatte genügt, ihn ins Leichenschauhaus eilen zu lassen; ein Mittagessen in Maigrets Gesellschaft, und er war vor dem Kommissar in Reims gewesen!

Er war auch als Erster in der Rue Hors-Château gewesen, war dem Kriminalbeamten in den Presseredaktionen zuvorgekommen!

Und zu guter Letzt war er im Café de la Bourse erschienen!

Und dennoch war es nicht ausgeschlossen, dass er derjenige war, der sich zu einem Geständnis entschlossen hatte; so wie auch nichts das Gegenteil bewies!

Oder war es etwa der kühle, korrekte Belloir mit seinem

Provinzbourgeoisgehabe, der im Nebel auf ihn geschossen hatte? War er derjenige, dem keine andere Wahl blieb, als Maigret zu beseitigen?

Oder aber Gaston Janin, der kleine Bildhauer mit dem Bärtchen! Er war zwar nicht im Café de la Bourse gewesen, konnte aber sehr wohl im Hinterhalt gelegen haben!

Und in welcher Beziehung stand all dies zu einem Gehängten, der am Kreuz einer Kirchturmspitze baumelte?… Zu einer Vielzahl Gehängter?… Zu Wäldern, in denen die Bäume statt Früchten Gehängte trugen?… Zu einem alten, blutbefleckten Anzug, dessen Aufschläge von scharfen Fingernägeln zerkrallt worden waren…?

Stenotypistinnen hasteten an ihre Arbeitsplätze. Eine Straßenkehrmaschine, beidseitig mit einer Sprengvorrichtung und einem kreisförmigen Besen versehen, der den Abfall in den Rinnstein fegte, rollte gemächlich den Fahrdamm entlang.

An jeder Kreuzung war der weiße Helm eines Schutzmanns zu erblicken und zwei in steifen, weißen Kunststoffhüllen steckende Arme, die den Verkehr regelten.

»Wie komme ich zum Hauptkommissariat?«, erkundigte sich Maigret.

Man wies ihm den Weg. Als er das Gebäude betrat, waren die Putzfrauen noch am Werk. Trotzdem wurde er von einem freundlichen Sekretär in Empfang genommen, der, als er hörte, dass Maigret Einsicht in Protokolle von vor zehn Jahren zu nehmen wünschte, und zwar, genauer, in die des Monats Februar, ausrief:

»Sie sind schon der Zweite in vierundzwanzig Stunden! Bestimmt wollen Sie wissen, ob eine gewisse Joséphine Bollant zu der Zeit tatsächlich einen Diebstahl im Hause ihrer Arbeitgeber begangen hat, nicht?«

»War denn schon jemand hier?«

»Gestern Nachmittag, so gegen fünf. Einer von hier, der es im Ausland ganz schön weit gebracht hat, obwohl er noch so jung ist! Sein Vater war Arzt, er selbst betreibt ein gutgehendes Geschäft in Deutschland.«

»Joseph van Damme?«

»Richtig! Aber er hat nicht gefunden, was er suchte, obwohl er die ganze Akte durchgeblättert hat!«

»Könnte ich sie mal sehen?«

Es war ein grüner Ordner, in dem die Tagesberichte, jeweils mit einer Nummer versehen, eingeheftet waren. Unter dem Datum des fünfzehnten Februar fanden sich fünf Protokolle: zwei Fälle von Trunkenheit und nächtlicher Ruhestörung, ein Ladendiebstahl, eine Schlägerei mit Körperverletzung und zum Schluss noch ein Einbruch und Kaninchendiebstahl.

Maigret gab sich nicht einmal die Mühe, sie zu lesen, sondern betrachtete stattdessen die Nummern, die oben auf jeder Seite standen.

»Hat Monsieur van Damme die Akte eigenhändig durchgeblättert?«, fragte er.

»Ja. Er hat sich in das Büro nebenan gesetzt…«

»Vielen Dank.«

Die fünf Protokolle trugen die Nummern zweihundertsiebenunddreißig, zweihundertachtunddreißig, zweihundertneununddreißig, zweihunderteinundvierzig und zweihundertzweiundvierzig.

Mit anderen Worten, es fehlte eines; es war – wie die Zeitungen aus den Sammelbänden – herausgerissen worden; nämlich die Nummer zweihundertvierzig.

Wenige Minuten später hatte Maigret den Platz hinter dem Rathaus erreicht, wo gerade eine Hochzeitsgesellschaft vorfuhr. Und unwillkürlich horchte er auf jedes noch so schwache Geräusch, denn ein leises, ihm ganz und gar nicht behagendes Angstgefühl hatte sich seiner bemächtigt.

8

Der arme Klein

Er hatte es gerade noch geschafft. Es war neun, und die Angestellten trafen eben beim Rathaus ein, überquerten den Vorplatz, verweilten einen Moment auf der schönen Steintreppe, um einander mit Handschlag zu begrüßen. Ein Portier mit betresster Mütze und gepflegtem Bart stand oben auf der Treppe und rauchte seine Pfeife.

Eine Meerschaumpfeife, wie Maigret – er wusste nicht recht, warum – bemerkte; vielleicht, weil die Morgensonne sich in ihr spiegelte oder weil sie so gut eingeraucht aussah und der Kommissar sekundenlang den Mann beneidete, der, mit kurzen, genüsslichen Zügen schmauchend, wie eine Art Symbol des Friedens und der Lebensfreude dastand.

Denn an diesem Morgen schien die Luft zu flimmern und flimmerte immer mehr, je höher die Sonne stieg. Dazu ein herrliches Durcheinander von Ausrufen im wallonischen Dialekt, dem schrillen Bimmeln der gelb-roten Straßenbahnen und dem Plätschern des vierfachen Wasserstrahls aus dem gigantischen Springbrunnen mit dem »Perron« darüber, das die Geräusche des nahen Marktes zu übertönen suchte.

Auf der zweiläufigen Freitreppe jedoch erblickte Maigret den eben in der Vorhalle verschwindenden Joseph van Damme.

Der Kommissar eilte ihm nach. Im Innern des Gebäudes verlief die Treppe weiterhin in zwei Aufgängen, die in jedem Stockwerk zusammentrafen. So kam es, dass die beiden Männer einander plötzlich, atemlos vom schnellen Laufen, auf einem Absatz gegenüberstanden und sich anstrengen mussten, um einem Amtsdiener mit Silberkette nicht komisch vorzukommen.

Das war knapp gewesen! Eine Frage der Geistesgegenwart, denn es ging um Viertelsekunden.

Während er die Treppe hinauflief, hatte Maigret gedacht, van Damme würde nur kommen – wie er es auch in den Zeitungsarchiven und auf dem Hauptkommissariat getan hatte –, um etwas verschwinden zu lassen; war doch schon eins der Protokolle vom fünfzehnten Februar zerrissen worden.

Aber stellte die Polizei nicht auch hier, wie in den meisten Städten, dem Bürgermeisteramt allmorgendlich einen Durchschlag der Tagesberichte zu?

»Ich möchte den Kanzleivorsteher sprechen!«, erklärte Maigret in zwei Meter Entfernung von van Damme. »Es ist dringend!«

Ihre Blicke kreuzten sich. Sie waren nicht sicher, ob sie einander grüßen sollten oder nicht, und unterließen es dann. Und als der Amtsdiener sich dem Bremer Geschäftsmann zuwandte, ihn nach seinem Begehren fragte, murmelte dieser nur: »Nichts! Ich komme später noch mal.«

Er ging. Das Geräusch seiner Schritte verlor sich in der Vorhalle. Kurz darauf wurde Maigret in ein prunkvoll ausgestattetes Büro geführt, wo ein steif wirkender Sekretär, eingezwängt in ein Jackett und einen übertrieben hohen, falschen Kragen, sich mit großem Eifer daranmachte, die zehn Jahre alten Tagesberichte herauszusuchen.

Das Zimmer war angenehm warm und mit weichen Teppichen ausgelegt. Ein Sonnenstrahl fiel auf das historische Gemälde, das eine ganze Wandfläche einnahm, und ließ den Krummstab eines Bischofs aufleuchten.

Eine halbe Stunde verging mit Suchen und dem Austausch von Höflichkeitsfloskeln, dann hatte Maigret die Protokolle des Kaninchendiebstahls, der Trunkenheitsdelikte sowie des Ladendiebstahls wieder vor sich. Außerdem las er zwischen zwei Kurzmeldungen folgende Zeilen:

Wachtmeister Lagasse vom sechsten Polizeirevier, der heute Morgen um sechs Uhr seinen Posten am Pont des Arches beziehen wollte, bemerkte im Vorbeigehen an der Kirche Saint-Pholien einen am Türklopfer des Portals hängenden menschlichen Körper.

Ein sofort herbeigerufener Arzt konnte nur noch den Tod des Betreffenden feststellen. Es handelt sich um einen gewissen Emile Klein, aus Angleur gebürtig, zwanzig Jahre, Anstreicher, wohnhaft in der Rue du Pot-au-Noir.

Klein scheint sich im Verlauf der Nacht mittels einer Vorhangkordel erhängt zu haben. In seinen Taschen waren lediglich wertlose Gegenstände und etwas Kleingeld enthalten.

Die Ermittlungen haben ergeben, dass Klein seit drei Monaten in keinem geregelten Arbeitsverhältnis mehr gestanden hat und die Tat daher wahrscheinlich seiner Mittellosigkeit zuzuschreiben ist.

Seine Mutter, die Witwe Klein, die in Angleur von einer bescheidenen Rente lebt, ist benachrichtigt worden.

Es folgten Stunden fieberhafter Tätigkeit. Maigret stürzte sich voller Elan auf diese neue Fährte. Und dabei – ohne dass er sich dessen so recht bewusst wurde – war ihm weniger an Informationen über diesen Klein als an einer Begegnung mit van Damme gelegen.

Denn erst wenn er den Geschäftsmann wieder vor sich hatte, würde er der Wahrheit näherkommen. Hatte nicht alles in Bremen angefangen? Und war der Kommissar nicht seither bei jedem entscheidenden Schritt mit van Damme zusammengetroffen?

Dieser hatte ihn im Rathaus gesehen, wusste also, dass er den Bericht gelesen hatte und Kleins Spur verfolgte.

Ein Besuch in Angleur verlief ergebnislos. Der Kommissar hatte ein Taxi genommen und war in einem Fabrikviertel gelandet, wo kleine Arbeiterhäuschen, eines wie das andere, alle von demselben rußigen Grau, im Schatten hoher Fabrikschornsteine ein ärmliches Straßenbild abgaben.

Eine Frau war dabei, die Schwelle des Hauses zu scheuern, in dem Madame Klein gewohnt hatte.

»Sie ist schon mindestens fünf Jahre tot.«

Keine Spur von van Damme weit und breit.

»Hat ihr Sohn nicht bei ihr gewohnt?«

»Nein, der hat ein schlechtes Ende genommen… Hat sich aufgehängt, an einer Kirchentür…«

Das war alles. Das Einzige, was Maigret erfuhr, war, dass Kleins Vater Steiger in einem Kohlebergwerk gewesen war und seine Frau nach seinem Tod eine kleine Rente bezogen hatte. Sie hatte ihr Haus untervermietet und selbst nur noch eine Dachkammer bewohnt.

»Zum sechsten Polizeirevier!«, wies Maigret den Fahrer an.

Wachtmeister Lagasse war zwar noch am Leben, konnte sich des Vorfalls jedoch kaum noch erinnern.

»Es hatte die ganze Nacht geregnet… Er war völlig durchnässt, sein rotes Haar klebte ihm im Gesicht…«

»War er groß oder klein?«

»Eher klein.«

Daraufhin wandte sich der Kommissar an die Gendarmerie, in deren nach Leder und Pferdeschweiß riechenden Büros er fast eine Stunde verbrachte.

»Wenn er damals zwanzig war, hat er vor einem Musterungsausschuss erscheinen müssen… Klein sagten Sie, mit einem K?«

Er wurde auf Seite dreizehn des Registers der als untauglich Ausgemusterten gefunden. Maigret notierte: Größe, ein Meter fünfundfünfzig; Brustumfang, achtzig Zentimeter, sowie den Vermerk »lungengefährdet«.

Aber van Damme ließ sich immer noch nicht blicken. Also musste er woanders suchen. Als einziges Ergebnis der vormittäglichen Streifzüge Maigrets stand nun mit Sicherheit fest, dass der *Anzug B* nicht dem Gehängten von Saint-Pholien gehört haben konnte, da dieser nur ein Knirps gewesen war.

Klein hatte Selbstmord verübt. Es hatte kein Kampf stattgefunden, kein Tropfen Blut war geflossen.

Wo also war der Zusammenhang mit dem Koffer des Landstreichers von Bremen und dem Selbstmord des Lecocq d'Arneville alias Louis Jeunet?

»Sie können mich hier absetzen. Und sagen Sie mir bitte noch, wo ist die Rue du Pot-au-Noir?«

»Hinter der Kirche. Sie mündet direkt in den Quai Sainte-Barbe.«

Maigret hatte den Taxifahrer vor Saint-Pholien bezahlt und betrachtete nun die neue Kirche, die sich da inmitten eines weiten, etwas erhöhten Geländes erhob.

Boulevards, eingefasst von modernen Wohnblocks etwa so alt wie die Kirche selbst, erstreckten sich zur rechten wie zur linken Hand. Hinter der Kirche aber war ein Rest des alten Stadtviertels erhalten geblieben, das nur teilweise abgerissen worden war, um das Gotteshaus ringsherum zugänglich zu machen.

Im Schaufenster eines Schreibwarengeschäfts entdeckte Maigret Postkarten mit dem Bild der alten Kirche, die niedriger, wuchtiger und altersschwarz gewesen war. Ein Flügel war mit einem Holzgerüst abgestützt. Geduckte, schäbige Häuser, auf drei Seiten bis dicht an die Mauern der Kirche herangebaut, verliehen dem Ganzen einen mittelalterlichen Charakter.

Nur ein formloser Gebäudekomplex war übriggeblieben von diesem Elendsviertel; ihn durchzog ein Gewirr enger Sträßchen und Sackgassen, aus denen der abstoßende Geruch nach Armut schlug.

Die Rue du Pot-au-Noir war keine zwei Meter breit. Ein Rinnsal seifigen Wassers floss in ihrer Mitte, Kinder spielten vor den Türen, hinter denen es ziemlich laut zuging.

Trotz der vom Himmel herabstrahlenden Sonne war es hier dunkel, denn ihre Strahlen drangen nicht bis in die Tiefen der Gasse hinab. Ein Böttcher hatte sein Kohlenbecken auf der Straße aufgestellt und bereifte Fässer.

Die Hausnummern waren kaum zu erkennen; der Kommissar musste sich nach der Nummer sieben erkundigen. Man wies ihm eine Sackgasse, aus der die Geräusche von Säge und Hobel tönten. An ihrem Ende fand er eine Werkstatt mit ein paar Tischlerbänken, einem Ofen, auf dem Leim kochte, und drei Männern, die bei weit offener Tür ihre Arbeit verrichteten.

Einer von ihnen hob den Kopf, legte seinen erkalteten Zigarettenstummel beiseite und wartete darauf, dass der Besucher etwas sagte.

»Hat hier nicht ein gewisser Klein gewohnt?«

Der Mann sah seine Kollegen bedeutungsvoll an und zeigte mit dem Finger auf eine Tür und eine dunkle Treppe.

»Da oben! Es ist schon jemand da!«, brummte er.

»Ein neuer Mieter?«

Erst später wurde dem Kommissar die Bedeutung des eigentümlichen Grinsens klar, das seine Frage hervorrief.

»Sie werden schon sehen… Im ersten Stock! Verirren können Sie sich nicht, es gibt bloß die eine Tür.«

Ein Arbeiter an der Hobelbank lachte lautlos auf, während Maigret sich daran machte, die stockfinstere Treppe zu erklimmen. Nach den ersten Stufen schon fehlte das Geländer. Er ließ ein Streichholz aufflammen, entdeckte über sich eine Tür, die weder Schloss noch Griff besaß und nur mit Hilfe eines um einen rostigen Nagel geknüpften Bindfadens geschlossen werden konnte.

Eine Hand an dem Revolver in seiner Tasche, stieß er die Tür mit dem Knie auf und stand geblendet von dem Licht, das durch ein großes Dachfenster fiel, dem ein Drittel der Scheiben fehlte.

Sekundenlang blickte Maigret – zu überrascht, um Einzelheiten wahrzunehmen – um sich, dann bemerkte er die Umrisse eines Mannes, der in einer Ecke des Raumes an der Wand lehnte und ihn mit zornigem Blick fixierte. Es war Joseph van Damme.

»Wir mussten wohl schließlich hier landen, oder?«, sagte der Kommissar.

Und in dem allzu kahlen, leeren Raum hallte seine Stimme eigentümlich wider.

Van Damme gab keine Antwort, verharrte unbeweglich an seinem Platz, den Blick voller Gehässigkeit auf ihn gerichtet.

Man hätte, um die Struktur dieser Räumlichkeiten zu begreifen, wissen müssen, ob ihre Mauern einst zu einem Kloster, einer Kaserne oder einem herrschaftlichen Wohnhaus gehört hatten.

Es gab keinen einzigen rechten Winkel. Die eine Hälfte des Fußbodens war mit Dielen bedeckt, während die andere mit ihren ungleichmäßig gelegten Steinplatten an eine alte Kapelle erinnerte.

Die Wände waren weiß gekalkt bis auf ein Rechteck aus braunen Ziegelsteinen, wohl ehemals ein Fenster, das zugemauert worden war. Durch das große Dachfenster sah man einen Giebel, eine Dachrinne und dahinter, in der Richtung, wo die Maas floss, lauter unterschiedlich geformte Dächer.

Aber das war noch längst nicht das Ungewöhnlichste. Am merkwürdigsten mutete die Einrichtung des Raumes an, die in ihrer Uneinheitlichkeit an eine Rumpelkammer oder an das Bühnenbild für einen billigen Schwank denken ließ.

Da stand eine unordentliche Ansammlung nicht fertig gezimmerter Stühle, standen Töpfe mit Tischlerleim, Kisten, aus denen Holzwolle oder Hobelspäne quollen, lagen zerbrochene Sägen und eine längs gelagerte Tür mit neu eingesetzter Füllung herum.

Andererseits gab es aber auch eine Ecke mit einer Art Couch oder eher Sprungfedermatratze, die teilweise von einem Stück Kattun bedeckt war, und darüber eine wunderlich geformte, bunt verglaste Laterne, wie man sie zuweilen noch beim Antiquitätenhändler findet.

Über die Couch verstreut lagen die Einzelteile eines unvollständigen Skeletts, das einem Medizinstudenten gehört haben mochte. Brustkorb und Becken wurden noch von Klammern zusammengehalten und hingen wie bei einer Stoffpuppe vornüber.

Und dann erst die Wände! Diese weißen, mit Zeichnungen und Freskomalereien bedeckten Wände!

Ein geradezu absurdes Gewirr von fratzenhaft verzogenen Gesichtern und Inschriften im Stil von *Es lebe Satan, der Großvater der Welt!*

Auf dem Fußboden lag eine Bibel mit zerschlissenem Rücken. Weiter daneben, unter einer dicken Staubschicht, zerknüllte Skizzenblätter und ein Stapel vergilbten Papiers.

Über der Tür eine weitere Inschrift: *Willkommen, ihr Verdammten!*

Und mitten in diesem Chaos die unvollendeten Stühle, die nach Schreinerwerkstatt, Leim und rohem Kiefernholz rochen! Ein Ofen lag umgekippt auf der Seite, rotbraun vor Rost.

Und schließlich Joseph van Damme in seinem gutsitzenden Mantel, mit einem Gesicht, das die tägliche Pflege verriet, mit seinen tadellos sauberen Schuhen! Van Damme, der auch noch in dieser Umgebung ganz der Mann blieb, der in den besten Bremer Lokalen verkehrt, ein modernes Büro in einem großen Geschäftshaus besitzt und sich auf erlesene Speisen und alten Armagnac versteht…

Van Damme, der in seinem Wagen herumfuhr, die hochgestellten Persönlichkeiten der Stadt grüßte und dabei erklärte, der Herr im Pelz sei Millionen schwer, ein anderer der Besitzer von dreißig Frachtern auf hoher See… Und der ein wenig später beim Klang beschwingter Musik, beim Klirren von Gläsern und Untertassen die Hände all dieser Mächtigen schüttelte, denen er sich schon fast zugehörig fühlte…

Dieser van Damme glich nun auf einmal einem gehetzten Wild, wie er so reglos an der Wand lehnte, die Schulter weiß von Kalk, und – eine Hand in der Tasche – Maigret nicht aus den Augen ließ.

»Wie viel…?«

Hatte er tatsächlich etwas gesagt? War der Kommissar nicht unter dem Einfluss dieser unwirklichen Umgebung Opfer einer Sinnestäuschung geworden?

Er schrak zusammen, stieß aus Versehen gegen einen Stuhl, der noch keine Sitzfläche hatte und polternd umfiel. Van Damme war dunkelrot angelaufen und hatte sein gesundes Aussehen eingebüßt. In seinen aufs äußerste gespannten Zügen spiegelte sich so etwas wie Panik oder Verzweiflung, aber auch Wut und die Entschlossenheit, zu überleben, um jeden Preis den Sieg davonzutragen. Und alles, was er noch an Widerstandskraft aufzubringen vermochte, drückte sich in seinem Blick aus.

»Was wollen Sie damit sagen?«

Mit diesen Worten ging Maigret hinüber zu dem Haufen zerknüllter Skizzen, die in einer Ecke unter dem Fenster zusammengefegt worden waren, und entfaltete, während er auf die Antwort wartete, die Aktstudie eines Mädchens. Ein Mädchen mit groben Gesichtszügen, unordentlichem Haar, einem kräftigen, gutgebauten Körper, üppigen Brüsten und breiten Hüften.

»Noch ist es nicht zu spät«, kam es indessen von van Damme. »Fünfzigtausend…? Hundert…?«

Der Kommissar sah ihn mit einem sonderbaren Ausdruck an, woraufhin der andere ihm – unfähig, seiner fieberhaften Erregung Herr zu werden – zuwarf:

»Zweihunderttausend!«

Zwischen den asymmetrischen Mauern der schäbigen Behausung pulsierte die Angst, eine scharfe, krankhafte Angst.

Vielleicht war da noch mehr als die Angst: eine unterschwellige Versuchung, der Taumel mörderischer Gedanken…

Maigret hörte indessen nicht auf, die alten Bilder vor sich auszubreiten, auf denen er dasselbe üppige Mädchen, das beim Modellstehen einen stumpfsinnigen Gesichtsausdruck gehabt haben musste, in allerlei Posen wiederfand.

Auf einer Zeichnung hatte der Maler versucht, sie in das

Stück Kattun gehüllt darzustellen, das über die Couch gebreitet war, ein anderes Mal mit schwarzen Strümpfen.

Hinter ihr war der Totenkopf abgebildet, der jetzt am Fußende der Matratze lag. Maigret erinnerte sich, den unheimlichen Schädel schon auf einem von Jef Lombards Bildern gesehen zu haben.

Noch undeutlich begann sich eine Verbindung zwischen den verschiedenen Akteuren und Ereignissen, Raum und Zeit umspannend, abzuzeichnen. Mit schon nicht mehr ganz so ruhiger Hand glättete der Kommissar eine Kohlezeichnung, die einen langhaarigen jungen Mann mit bis zur Brust geöffnetem Hemd und einem Kinn zeigte, an dem der Bart eben zu sprießen begann.

Auch er stand da in romantischer Pose; sein Gesicht – im Halbprofil dargestellt – schien in die Zukunft zu blicken, so wie ein Adler in die Sonne schaut.

Es war Jean Lecocq d'Arneville, der Selbstmörder aus dem schäbigen Hotel in Bremen, der Landstreicher, der seine Wurstbrötchen nicht gegessen hatte.

»Zweihunderttausend Franc!«

Und er fügte hinzu – selbst jetzt noch ganz der Geschäftsmann, der an die kleinsten Kleinigkeiten denkt wie etwa die Schwankungen der Wechselkurse:

»Französische Francs…! Hören Sie, Herr Kommissar…«

Maigret ahnte sehr wohl, dass dem Flehen die Drohung folgen würde, dass der Schreck, der van Dammes Stimme jetzt noch erzittern ließ, sehr bald in einen Wutausbruch umschlagen würde.

»Noch ist es möglich… Noch ist kein Verfahren eingeleitet worden… Wir sind in Belgien…«

In der Laterne steckte noch ein Kerzenstummel, und unter dem Haufen Papier am Boden stöberte der Kommissar einen alten Petroleumkocher auf.

»Sie sind nicht dienstlich hier... Und selbst wenn... Geben Sie mir bloß einen Monat!«

»Also ist es im Dezember passiert...«

Es sah aus, als drücke van Damme sich noch dichter an die Wand, als er zögernd fragte:

»Was meinen Sie?«

»Jetzt ist es November. Im Februar werden genau zehn Jahre vergangen sein, seit Klein sich erhängt hat. Sie aber bitten nur um einen Monat...«

»Ich verstehe nicht, was...«

»O doch!«

Es war nervenaufreibend, Maigret unablässig mit der Linken in den vergilbten Blättern wühlen zu sehen und das Knistern dieser Blätter mit anzuhören, wenn er sie zusammenknüllte, während seine Rechte in der Manteltasche verborgen blieb.

»Sie haben sehr wohl verstanden, van Damme! Wenn es um den Tod Kleins ginge – angenommen, er wäre ermordet worden –, so würde die Tat erst im Februar, nämlich zehn Jahre später, verjähren. Sie aber wollen nur einen Monat. Folglich hat es sich im Dezember abgespielt.«

»Sie werden nichts herausfinden!« Seine Stimme bebte wie ein schlecht aufgezogenes Grammophon.

»Warum haben Sie dann Angst?«

Mit diesen Worten hob Maigret die Matratze auf, unter der nichts außer Staub und einer verschimmelten, grünlichen, kaum noch erkennbaren Brotkruste lag.

»Zweihunderttausend Franc! Wir könnten uns dahingehend einigen, dass Sie später …«

»Soll ich Ihnen eins in die Schnauze hauen?«

Das kam so überraschend, klang so grob, dass van Damme einen Moment lang die Fassung verlor, eine Bewegung machte, wie um sich zu schützen. Dabei zog er unabsichtlich den Revolver hervor, den seine Hand in der Tasche umklammert hatte.

Er bemerkte es, wurde sekundenlang von einem Schwindel ergriffen und zögerte, unentschlossen, ob er schießen solle oder nicht.

»Runter damit!«

Seine Hand öffnete sich. Der Revolver fiel zu Boden, landete neben einem Haufen Hobelspäne.

Und Maigret wandte seinem Gegner den Rücken zu, stocherte weiter in dem entsetzlichen Durcheinander von Kuriositäten herum. Er förderte eine gelbliche Socke zutage, auch sie gesprenkelt vor Schimmel.

»Sagen Sie mal, van Damme …«

Er fuhr herum, alarmiert von der plötzlichen Stille. Maigret sah, wie van Damme sich mit der Hand übers Gesicht fuhr, sah die von den Fingern hinterlassene feuchte Spur.

»Weinen Sie etwa?«

»Ich?«

Dies »Ich« wurde herausfordernd, spöttisch und voller Verzweiflung ausgestoßen.

»Bei welcher Waffengattung haben Sie eigentlich gedient?«

Der andere begriff den Sinn der Frage nicht, antwortete

jedoch, bereit, sich an jeden Hoffnungsschimmer zu klammern:

»Ich war in Beverloo, auf der Schule für Reserveoffiziere.«

»Infanterie?«

»Kavallerie.«

»Das heißt, Sie waren damals zwischen einsfünfundsechzig und einssiebzig groß und wogen weniger als siebzig Kilo. Den Bauch haben Sie später angesetzt…«

Maigret schob einen Stuhl beiseite, der ihm im Weg stand, bückte sich abermals nach einem Papierfetzen, allem Anschein nach ein Stück von einem Brief, auf dem nur eine einzige Zeile stand:

Lieber alter Junge…

Er hörte jedoch nicht auf, van Damme zu beobachten, der sich anstrengte, den Sinn von Maigrets Worten zu verstehen, begriff und plötzlich erschüttert und mit verstörtem Gesicht ausrief:

»Ich war es nicht! Ich schwöre Ihnen, ich habe diesen Anzug nie angehabt!«

Maigret beförderte den Revolver seines Gegenspielers mit einem Fußtritt ans andere Ende des Raumes.

Warum aber musste er gerade in diesem Augenblick wieder diese Kinder auflisten? Den Jungen Belloirs, die drei Kleinen in der Rue Hors-Château, wo die Jüngste noch nicht einmal die Augen geöffnet hatte, und den Sohn des falschen Louis Jeunet…

Eine Kohlezeichnung am Boden, die nicht signiert war, zeigte die schwungvoll gewölbte Hüfte des schönen jungen Modells.

Auf der Treppe vernahm man zögernde Schritte. Eine Hand tastete über die Tür, nach der Schnur, die als Klinke diente.

9

Die apokalyptischen Kumpane

In den nun folgenden Auftritten war jedes Wort, jedes Schweigen, jeder Blick und selbst jedes unwillkürliche Muskelspiel der Beteiligten von besonderer Bedeutung; alles verbarg einen tieferen Sinn, und jeder der Anwesenden schien von einer fahlen Aura umgeben: den gestaltlosen Umrissen der Angst.

Die Tür ging auf, und Maurice Belloir trat herein. Sein erster Blick galt dem in einer Ecke eng an die Wand gedrückten van Damme, der zweite dem Revolver am Boden.

Und das genügte, um die Situation zu erfassen, besonders wenn man dann noch den friedlich an seiner Pfeife kauenden Maigret ansah, der fortfuhr, in den alten Skizzenblättern herumzustöbern.

»Lombard kommt gleich!«, bemerkte Belloir, ohne dass es ersichtlich war, ob die Feststellung dem Kommissar oder dem Freund galt. »Ich habe ein Taxi genommen…«

Und allein diese Worte verrieten Maigret, dass der stellvertretende Bankdirektor sich geschlagen gab. Es war kaum spürbar. Seine Züge waren weniger angespannt, seine Stimme klang matt, Beschämung lag darin.

Die drei blickten einander an, und es war van Damme, der als Erster fragte:

»Was ist denn mit…?«

»Er benimmt sich wie ein Irrer. Ich habe versucht, ihn zu beruhigen, aber er ist mir entwischt… Laut vor sich hin redend und gestikulierend, ist er davon…«

»Bewaffnet?«, erkundigte sich Maigret.

»Bewaffnet.«

Und mit dem schmerzverzerrten Gesicht eines zutiefst erschütterten Menschen, der vergeblich um Beherrschung ringt, spitzte Maurice Belloir die Ohren.

»Sie waren also zusammen in der Rue Hors-Château, um das Ergebnis meiner Unterhaltung mit ihm abzuwarten?«

Maigret wies mit dem Finger auf van Damme, und Belloir machte eine zustimmende Kopfbewegung.

»Und Sie waren sich alle drei einig, mir anzubieten…«

Es war nicht nötig, den Satz zu beenden. Ein jeder verstand schon beim ersten Wort; sie verstanden einander, selbst wenn sie schwiegen. Es war, als könnten sie einander denken hören.

Plötzlich kamen eilige Schritte die Treppe heraufgepoltert; man hörte, wie jemand stolperte und fiel, dann ein wütendes Schnauben. Ein Fußtritt ließ die Tür aufspringen. Einen Moment lang verharrte Jef Lombard reglos auf der Schwelle, fixierte die drei Männer mit einem erschreckend stieren Blick.

Er zitterte wie im Fieber oder so, als sei er einer Art Wahnsinn verfallen.

Sicherlich drehte sich ihm alles vor den Augen; die vor ihm zurückweichende Gestalt Belloirs, das gedunsene Gesicht van Dammes und schließlich der breitschultrige Maigret, der reglos und mit angehaltenem Atem dastand.

Und obendrein all das fürchterliche Gerümpel, die über den Boden verstreuten Zeichnungen, das nackte Mädchen, von dem nur Brüste und Kinnpartie sichtbar waren, die Laterne und die durchgesessene Couch…

Die ganze Szene dauerte nur Sekundenbruchteile. Jefs ausgestreckten Arm verlängerte ein Trommelrevolver.

Maigret beobachtete ihn ruhig, und doch drang ein Seufzer der Erleichterung aus seiner Brust, als Jef Lombard die Waffe plötzlich von sich warf, beide Hände vors Gesicht schlug und zwischen heiseren Schluchzern hervorstieß:

»Ich kann nicht…! Ich kann nicht…! Herrgott noch mal, hört doch, ich kann das nicht!«

Dann stützte er sich mit beiden Armen gegen die Wand, und man sah nur noch, wie seine Schultern zuckten, vernahm sein jämmerliches Schniefen.

Der Kommissar schloss die Tür, denn die Geräusche von Hobel und Säge drangen zusammen mit entferntem Kindergeschrei bis zu ihnen herauf.

Jef Lombard wischte sich mit dem Taschentuch übers Gesicht, warf das Haar zurück und blickte mit dem leeren Ausdruck eines Menschen um sich, der einen Nervenzusammenbruch hinter sich hat.

Noch hatte er sich nicht ganz beruhigt, noch waren seine Finger verkrampft, bebten die Nasenflügel, und bevor er sprechen konnte, musste er sich auf die Lippen beißen, um ein neuerliches Schluchzen zu ersticken.

»So weit ist es nun also gekommen!«, sagte er mit einer vor Ironie tonlosen, schneidenden Stimme und versuchte zu lachen. Es klang verzweifelt.

»Neun Jahre…! Fast zehn…! Ich bin hiergeblieben, ganz allein, ohne Geld, ohne Beruf…«

Er sprach zu sich selbst, bestimmt ohne zu merken, dass sein Blick dabei unentwegt, unerbittlich an der Aktstudie des Mädchens hing, das seinen Körper zur Schau stellte.

»Zehn Jahre lang hat man sich abgerackert, tagein, tagaus – hat nichts als Verdruss und Schwierigkeiten gehabt! Trotz allem hab ich geheiratet, hab Kinder gewollt, hab geschuftet wie ein Ochse, um ihnen ein anständiges Leben zu ermöglichen… Ein Haus, die Werkstatt und der ganze Rest! Ihr habt es gesehen… Bloß, was keiner sieht, ist die Mühe, die es gekostet hat, all das aufzubauen. Der ganze Überdruss… Und anfangs all die Nächte, wo ich vor Sorgen wegen der Wechsel kein Auge zubekam…«

Er schluckte, fuhr sich mit der Hand über die Stirn. Sein Adamsapfel hüpfte auf und ab.

»Und jetzt das…! Ich hab gerade eine Tochter bekommen und bin nicht mal sicher, ob ich sie mir überhaupt schon angeguckt habe…! Meine Frau liegt im Bett und hat keine Ahnung, was los ist, schaut mich ganz entsetzt an, weil ich wie ein Fremder geworden bin… Die Arbeiter kommen und stellen mir Fragen, und ich weiß kaum, was ich ihnen antworte…

Vorbei! Auf einmal, in ein paar Tagen! Alles ist unterhöhlt, zerstört, kaputt – in die Brüche gegangen! Alles, die Arbeit von zehn Jahren!

Und das, weil…«

Er ballte die Hände zu Fäusten, starrte die am Boden liegende Waffe und dann Maigret an. Er war total erledigt.

»Lasst uns doch ein Ende machen!«, seufzte er mit einer

müden Geste. »Wer wird denn nun endlich reden? Es ist so idiotisch!«

Es war, als seien die Worte an den Totenkopf gerichtet, an den Haufen Skizzen, an all die wirren Zeichnungen, die die Wände bedeckten.

»So idiotisch!«, wiederholte er.

Fast schien es, als würde er wieder in Tränen ausbrechen. Doch nein! Seine Nerven gaben nichts mehr her. Die Krise war überstanden. Er ließ sich auf den Rand der Couch sinken und blieb so – die Ellbogen auf seine spitzen Knie gestützt, das Kinn in den Händen – sitzen und wartete.

Die einzige Bewegung, die er noch machte, war, mit dem Fingernagel einen Schmutzfleck vom Aufschlag seiner Hose zu schaben.

»Stör ich auch nicht?«

Es klang fröhlich. Der Schreiner trat, ganz mit Sägemehl bestäubt, in den Raum. Sein erster Blick galt den mit Zeichnungen bedeckten Wänden. Er lachte.

»Sie sind also noch einmal gekommen, um sich all das anzusehen?«

Keiner rührte sich. Nur Belloir bemühte sich, natürlich zu erscheinen.

»Erinnern Sie sich, dass Sie mir noch die zwanzig Franc vom letzten Monat schulden? Aber nein, das soll keine Mahnung sein! Ich muss bloß lachen bei dem Gedanken, dass Sie damals, als Sie weggingen und mir all den alten Kram hierließen, behaupteten:

›Womöglich wird ein einziger dieser Entwürfe eines Tages so viel wie die ganze Bude wert sein.‹

Ich hab's nicht geglaubt, hab aber doch gezögert, die Wände übertünchen zu lassen. Dann hab ich mal einen Bilderrahmer, der auch mit Gemälden handelt, kommen lassen. Der hat zwei oder drei Zeichnungen mitgenommen. Hundert Sous hat er mir dafür gegeben … Malen Sie immer noch?«

Jetzt erst schien er zu merken, dass etwas nicht stimmte. Joseph van Damme starrte beharrlich zu Boden. Belloir ließ vor Ungeduld die Finger knacken.

»Sie sitzen doch jetzt in der Rue Hors-Château, oder?«, begann der Schreiner erneut, an Jef gewandt. »Ein Neffe von mir hat bei Ihnen gearbeitet. Ein großer Blonder.«

»Kann sein«, seufzte Lombard mit abgewandtem Gesicht.

»An Sie kann ich mich nicht mehr erinnern. Gehörten Sie auch zu der Bande?«

Diesmal war die Frage des Hauswirts an Maigret gerichtet.

»Nein.«

»Komische Heinis! Meine Frau wollte ja nicht, dass ich das Zimmer vermiete; später hat sie mir geraten, sie rauszuwerfen, vor allem, weil sie nicht regelmäßig zahlten. Aber ich fand das ganz lustig, wie einer den anderen mit einem noch größeren Hut, einer längeren Tonpfeife zu übertrumpfen suchte, wie sie die Nächte hindurch sangen und tranken! Hin und wieder waren auch hübsche Mädchen dabei. Ah, Monsieur Lombard, wissen Sie übrigens, was aus der da auf dem Fußboden geworden ist?

Sie ist jetzt mit einem Inspektor vom Grand Bazar verheiratet und wohnt keine zweihundert Meter von hier. Einer ihrer Söhne geht mit meinem Jungen zur Schule.«

Lombard stand auf, machte ein paar Schritte zu dem großen Fenster hin und wieder zurück. So spürbar war seine Unruhe, dass der Mann sich entschloss, den Rückzug anzutreten.

»Ich störe wohl doch. Dann geh ich jetzt besser. Und wenn noch irgendwelche Sachen dabei sind, an denen Sie hängen… Ich hab natürlich nie die Absicht gehabt, sie zu behalten wegen der zwanzig Franc; hab mir bloß eine Landschaft genommen, fürs Esszimmer…«

Vielleicht wollte er vom Flur aus noch weiterreden, doch eine Stimme rief von unten:

»Da ist jemand, der Sie sprechen will, Chef!«

»Also dann, Messieurs… Es hat mich gefreut, Sie…«

Der Rest verhallte hinter der zufallenden Tür. Während der Mann redete, hatte Maigret sich eine Pfeife angesteckt. Durch das Geschwätz des Schreiners hatte sich die Atmosphäre trotz allem ein wenig entspannt, und als der Kommissar nun das Wort ergriff und auf eine Inschrift wies, die die obskurste all der Wandmalereien umrahmte, antwortete Maurice Belloir mit einer Stimme, die schon fast natürlich klang.

Die Inschrift lautete: *Die apokalyptischen Kumpane.*

»War das der Name Ihrer Gruppe?«

»Ja. Ich werde Ihnen alles erklären. Es ist sowieso zu spät, nicht? Unsere Frauen und Kinder haben eben Pech…«

Doch Jef Lombard fiel ihm ins Wort:

»Ich will reden! Lass mich…«

Er begann, im Raum auf und ab zu gehen, ließ die Augen immer mal auf dem einen oder anderen Gegenstand verweilen, wie um seiner Erzählung dadurch Gestalt zu geben.

»Es ist etwas über zehn Jahre her… Ich ging damals auf die Kunstakademie, um Maler zu werden, trug einen großen Hut und eine Künstlerschleife. Wir waren drei: Gaston Janin, der Bildhauerei studierte, der arme Klein und ich. Wir bildeten uns ganz schön was ein, wenn wir so durchs Carré flanierten. Schließlich waren wir Künstler, oder etwa nicht? Ein jeder sah sich mindestens als künftigen Rembrandt…

Es hat ganz blödsinnig angefangen… Wir lasen eine Menge, vor allem die Romantiker. Unsere Begeisterung kannte keine Grenzen. Wochenlang schwärmten wir ausschließlich für einen Autor, dann ließen wir ihn für einen anderen fallen…

Der arme Klein, dessen Mutter in Angleur wohnte, hatte dieses Atelier hier gemietet. Es wurde für uns zur Gewohnheit, hier zusammenzutreffen. Die Atmosphäre – besonders an Winterabenden – hatte so etwas Mittelalterliches, das uns beeindruckte. Wir sangen alte Lieder, trugen Villons Balladen vor.

Ich weiß nicht mehr, wer von uns die Apokalypse entdeckte und darauf bestand, ganze Kapitel daraus vorzulesen…

Eines Abends machten wir die Bekanntschaft einiger Studenten: Belloir, Jean Lecocq d'Arneville, van Damme und ein gewisser Mortier, ein Jude, dessen Vater hier in der Nähe mit Schweinedärmen und Eingeweiden handelt.

Wir hatten getrunken, brachten sie mit her. Der Älteste von uns war keine zweiundzwanzig…

Das warst du, van Damme, nicht?«

Es tat ihm gut, sprechen zu können; seine Schritte waren jetzt nicht mehr so abgehackt, die Stimme nicht mehr so rauh, nur das Gesicht war noch von dem Weinkrampf gezeichnet, die Haut rötlich gefleckt, die Lippen geschwollen.

»Ich glaube, dass der Einfall von mir kam, einen Klub zu gründen, einen Bund! Ich hatte von den geheimen Verbindungen gelesen, die im vergangenen Jahrhundert an den deutschen Universitäten bestanden. Eine Vereinigung der schönen Künste mit der Wissenschaft, das war es, was mir vorschwebte!«

Er musste höhnisch lachen, als sein Blick über die Wände schweifte.

»Denn solche Worte führten wir ständig im Mund, und sie erfüllten uns mit maßlosem Stolz. Da waren Klein, Janin und ich einerseits, als Vertreter der schönen Künste, und andererseits die Studenten. Wir tranken miteinander – es wurde immer viel getrunken! Man trank, um die Ekstase noch zu steigern, beschränkte die Beleuchtung auf ein Minimum, um eine geheimnisvolle Stimmung zu schaffen…

Hier haben wir gelegen, sehen Sie! Die einen auf der Couch, die anderen am Boden, und haben Pfeife um Pfeife geraucht, bis die Luft zum Schneiden war.

Dann sangen wir im Chor. Fast immer wurde einem übel; er musste dann in den Hof runter, um sich zu übergeben…

Das alles geschah regelmäßig so gegen zwei, drei Uhr morgens. Die Gemüter erhitzten sich, und mit Hilfe des Weins – billiger Fusel, der uns auf den Magen schlug! – schwangen wir uns auf ins Reich der Metaphysik…

Ich sehe den armen Klein immer noch vor mir. Er war ein

kränklicher Junge und der erregbarste von uns allen. Seine Mutter war arm, er hatte so gut wie kein Geld zum Leben, verzichtete aufs Essen, um trinken zu können.

Denn in angetrunkenem Zustand hielt sich jeder von uns für ein wahres Genie!

Die Studenten waren etwas vernünftiger. Sie stammten ja auch mit Ausnahme von Lecocq d'Arneville aus besseren Verhältnissen. Belloir brachte schon mal eine Flasche alten Burgunder oder Likör mit, den er seinen Eltern geklaut hatte, und van Damme kam mit Aufschnitt an.

Wir waren überzeugt davon, dass der Rest der Welt mit einer Mischung aus Furcht und Bewunderung zu uns aufsah, und hatten uns einen geheimnisvollen, hochtrabenden Namen ausgesucht: *Die apokalyptischen Kumpane.*

Bestimmt hatte keiner die ganze Apokalypse gelesen, nur Klein, wenn er betrunken war, sagte einige Stellen auswendig auf…

Wir hatten beschlossen, gemeinsam für die Miete des Ateliers aufzukommen, und Klein hatte das Recht, hier zu wohnen.

Ein paar Mädchen hatten sich überreden lassen, uns umsonst Modell zu stehen – Modellstehen und alles, was so dazugehört, versteht sich! Und wir verwandelten sie in Grisetten im Sinne von Murgers Bohème – mit allem Drum und Dran!

Die da am Boden war eine von ihnen; saudumm, was uns aber nicht davon abhielt, sie als Madonna zu malen.

Trinken, das war uns das Wichtigste! Es galt, die Stimmung um jeden Preis hochzuschrauben. Und ich erinnere mich noch, wie Klein einmal das gleiche Resultat zu erzielen versuchte, indem er eine Flasche Schwefeläther über der Couch entleerte.

Und wie wir uns alle da hineinsteigerten, in Erwartung des nächsten Rausches, neuer Visionen!

Verdammt noch mal!«

Jef Lombard presste seine Stirn an die beschlagene Scheibe, dann kam er zurück, fuhr mit bewegter Stimme fort:

»Und so waren wir denn auch durch dies dauernde, künstliche Überreizen unserer Sinne die reinsten Nervenbündel; besonders die, die sich schlecht ernährten. Sie können sich das vorstellen, nicht? Der arme Klein zum Beispiel, ein Junge, der nie ordentlich aß und sich dann wieder mit Hilfe von Alkohol zu stärken suchte.

Es ist klar, dass wir die Welt neu entdeckten, dass wir für jedes große Problem eine Lösung hatten, den Bürger, die Gesellschaft und alle bestehenden Erkenntnisse verhöhnten.

Sobald wir einige Gläser getrunken hatten und der Rauch unserer Pfeifen in dichten Schwaden zwischen uns hing, schwirrten auch schon die aberwitzigsten Ideen durcheinander. Nietzsche, Karl Marx, Moses, Konfuzius und Jesus Christus, alles kam in einen Topf.

Nur ein Beispiel: Ich weiß nicht mehr, wer von uns glaubte, herausgefunden zu haben, dass der Schmerz überhaupt nicht existiert, sondern lediglich eine Illusion unseres Hirns ist ... Ich war so begeistert von diesem Gedanken, dass ich mir eines Nachts inmitten eines Kreises atemloser Zuschauer eine Messerspitze in den Arm bohrte und mich zwang, dabei zu lächeln.

Und das war nicht der einzige Fall! Wir stellten eben eine

Elite dar, waren eine Handvoll Auserwählter, vom Zufall vereint. Wir schwebten über der Welt mit ihren Konventionen, Gesetzen, Vorurteilen…

Eine Handvoll Götter waren wir! Götter, denen wohl mal vor Hunger der Magen knurrte, die jedoch hocherhobenen Hauptes und voller Verachtung für ihre Umwelt durch die Straßen schritten.

Und die Zukunft hatten wir fein geregelt: Aus Lecocq d'Arneville würde ein Tolstoi werden, van Damme, der die prosaische Handelshochschule besuchte, würde einmal die gesamte Volkswirtschaft auf den Kopf stellen, die hergebrachte Weltordnung aus den Angeln heben.

Für jeden war ein Platz vorgesehen – als Dichter, Maler oder als künftiger Staatschef…

All das mit Hilfe des Alkohols! Und es kam noch besser! Zum Schluss war das schwärmerische Hochgefühl zu einer solchen Gewohnheit geworden, dass wir uns bloß ein paar Minuten hier im verklärenden Licht der Laterne aufzuhalten brauchten, mit dem Skelett im Halbdunkel, dem Totenschädel, der uns als Trinkbecher diente, und schon stellte sich der gewünschte Rauschzustand ganz von selbst ein.

Sogar die Bescheidensten unter uns sahen im Geiste schon eine marmorne Gedenktafel an der Hausmauer: *Hier kamen die berühmten apokalyptischen Kumpane zusammen.*

Und einer versuchte den anderen durch das neueste Buch, die ausgefallenste Idee zu überbieten.

Nur ein Zufall hat uns davor bewahrt, Anarchisten zu werden, denn die Frage stand zur Debatte, wurde ernsthaft erwogen. Damals war in Sevilla gerade ein Attentat verübt worden. Der Zeitungsartikel wurde laut vorgelesen.

Ich weiß nicht mehr, wer damals ausrief:

›Das wahre Genie muss zerstören!‹

Und daraufhin haben wir, eine Schar dummer Jungen, diesen Gedanken stundenlang diskutiert, uns mit der Möglichkeit befasst, Bomben herzustellen, uns gefragt, was man wohl in die Luft jagen solle.

Dann ist der arme Klein, der schon bei seinem sechsten oder siebten Glas war, umgekippt, aber anders als sonst; es war eher eine Art Nervenzusammenbruch. Er hat sich am Boden gewälzt, und wir waren nur noch zu dem Gedanken fähig, was wohl mit uns geschehen würde, falls ihm ein Unglück zustieße.

Dieses Mädchen war dabei. Henriette hieß sie, und sie hat geschluchzt …

Ach, das waren tolle Nächte! Es war Ehrensache, dazubleiben, bis der Laternenanzünder draußen die Lampen gelöscht hatte. Dann erst stahlen wir uns, im Morgengrauen fröstelnd, nach draußen.

Die Söhne wohlhabender Eltern stiegen durchs Fenster in ihr Haus, schliefen sich aus und behoben die Schäden der Nacht, so gut es ging, mit reichlichem Essen.

Wir anderen dagegen, Klein, Lecocq d'Arneville und ich, lungerten auf den Straßen herum, verschlangen ein Brötchen und starrten gierig auf die Auslagen der Schaufenster.

Ich besaß in jenem Jahr keinen Mantel, weil ich unbedingt einen großen Hut, der hundertzwanzig Franc kostete, hatte haben wollen.

Ich redete mir ein, die Kälte sei, so wie alles andere, eine Illusion, und erklärte – durch unsere Diskussionen ermutigt – meinem Vater, einem biederen Arbeiter in einer Waffenfabrik, der inzwischen gestorben ist, Elternliebe stelle die niedrigste Form von Egoismus dar, und die erste Pflicht eines Kindes bestehe darin, mit den Seinen zu brechen.

Er war Witwer, ging früh um sechs zur Arbeit, gerade wenn ich nach Hause kam... Na ja, so ist er schließlich immer früher weggegangen, um mir nicht zu begegnen, weil meine Reden ihm Furcht einflößten. Er ließ mir Zettel auf dem Tisch zurück: *Im Schrank ist noch kaltes Fleisch. Dein Vater...*«

Sekundenlang versagte Jefs Stimme. Er sah erst Belloir an, der auf dem Rand eines sitzlosen Stuhls hockte und vor sich hin starrte, und dann den eine Zigarre zerpflückenden van Damme.

»Wir waren sieben«, kam es tonlos von Lombard, »sieben Supermänner, sieben Genies, sieben dumme Jungen!

Janin ist in Paris, er ist bei der Bildhauerei geblieben; das heißt, er fertigt Schaufensterpuppen für eine große Fabrik an, und wenn ihn mal das Fieber packt, modelliert er die Büste seiner derzeitigen Geliebten.

Belloir ist bei der Bank gelandet, van Damme im Geschäftsleben. Ich bin Fotograveur geworden.«

Ein furchtsames Schweigen hing im Raum. Jef schluckte, und die Schatten um seine Augen schienen sich noch zu vertiefen, als er fortfuhr:

»Klein hat sich an der Kirchentür erhängt... Lecocq d'Arneville hat sich in Bremen eine Kugel durch den Kopf gejagt...«

Ein neuerliches Schweigen folgte den Worten. Diesmal war es Maurice Belloir, der, unfähig, länger stillzusitzen, aufstand und nach einem Moment der Unschlüssigkeit an das Atelierfenster trat. Ein merkwürdiges Geräusch drang aus seiner Kehle.

»Und der Letzte?«, fragte Maigret. »Mortier, wenn ich nicht irre, der Sohn des Kaldaunenhändlers?«

Lombard fixierte den Kommissar mit einem derart fiebrig flackernden Blick, dass dieser einen neuen Zusammenbruch befürchtete. Van Damme warf einen Stuhl um.

»Das war im Dezember, stimmt's?«

Und während er weitersprach, behielt Maigret die drei Männer im Auge, so dass ihm nicht die leiseste Reaktion entging.

»In einem Monat ist es genau zehn Jahre her. In einem Monat tritt Verjährung ein…«

Er ging hin zu der Stelle, wo Joseph van Dammes Revolver lag, und hob ihn auf, dann bückte er sich nach der Waffe, die Jef kurz nach seinem Eintritt fortgeworfen hatte.

Er hatte sich nicht geirrt. Lombard vermochte die Spannung nicht länger zu ertragen. Beide Hände an den Kopf gepresst, stöhnte er:

»Meine Kinder! Meine drei Kinder!«

Und alle Scham vergessend, kehrte er dem Kommissar sein tränenüberströmtes Gesicht zu und brüllte, außer sich vor Schmerz:

»Sie sind schuld! Sie allein! Ihretwegen habe ich das Kleine noch nicht einmal angesehen, meine jüngste Tochter! Ich weiß nicht einmal, wie sie aussieht! Begreifen Sie das überhaupt?«

10

Ein Weihnachtsabend
in der Rue du Pot-au-Noir

Eine Regenböe schien über den Himmel gefahren zu sein, eine eilige, tiefhängende Wolke, denn mit einem Mal erlosch all das strahlende Sonnenlicht. Es war, als hätte man einen Schalter ausgeknipst, so grau und eintönig sah jetzt alles aus. Und jeder Gegenstand wirkte auf einmal bedrohlich.

Maigret begriff nun, warum den jungen Männern, die sich damals hier versammelt hatten, so an der gedämpften Beleuchtung einer vielfarbigen Laterne gelegen hatte, warum ihnen die geheimnisvollen Schatten so wichtig gewesen waren und sie das Bedürfnis verspürt hatten, die Luft mit Rauchwolken und Alkoholdünsten zu verschleiern.

Er konnte sich auch Kleins Erwachen am Morgen nach einer dieser tristen Orgien vorstellen; inmitten leerer Flaschen und zerbrochener Gläser, umgeben von einem schalen Geruch und dem schonungslosen Tageslicht, das, durch keinerlei Gardinen gedämpft, direkt in den Raum fiel.

Jef Lombard schwieg bedrückt; dafür begann Maurice Belloir nun zu sprechen.

Der Wechsel war so abrupt, als sei man in eine ganz andere Welt versetzt worden. Die Erregung des Fotograveurs hatte sich in seinem ganzen Wesen geäußert, in den verkrampften Gesten, dem Schluchzen und der sich überschlagenden Stimme, seinem Hin-und-her-Laufen und dem Wechsel von Überschwang und Ruhe, den man nach Art einer Fieberkurve hätte aufzeichnen können.

Belloir dagegen hatte sich von Kopf bis Fuß dermaßen in der Gewalt, wusste Tonfall, Blick und Gebärden zu beherrschen, dass es einen fast schmerzte; denn man spürte, welch qualvolle Anstrengung es ihn kostete.

Er hätte wohl nicht zu weinen vermocht, selbst wenn er es gewollt hätte; wäre nicht einmal fähig gewesen, sein Gesicht zu verziehen, so starr war jeder seiner Muskeln.

»Erlauben Sie, dass ich fortfahre, Herr Kommissar? Es wird bald dunkel werden, und hier gibt es keine Beleuchtung.«

Es geschah nicht einmal willentlich, dass er ein praktisches Detail erwähnte. Es war auch kein Zeichen von Gefühlskälte, sondern vielmehr seine Art, sich hinter Äußerlichkeiten zu verstecken.

»Ich glaube, ein jeder von uns war aufrichtig bei unseren Unterhaltungen, bei unseren Debatten, unseren laut ausgesprochenen Träumereien; allerdings war der Grad dieser Aufrichtigkeit eben verschieden.

Wie Jef schon gesagt hat, waren da einerseits die Reichen, die anschließend heimkehrten, zurückfanden in eine solide Welt: van Damme, Willy Mortier und ich, und selbst Janin, dem es an nichts fehlte…

Und innerhalb dieser Gruppe nahm Willy Mortier noch einen besonderen Platz ein. Er war – und dies ist nur ein Beispiel – der Einzige, der seine Freundinnen unter den gewerbsmäßigen Damen der Nachtklubs und Tänzerinnen kleiner Theater suchte und sie bezahlte…

Ein praktisch veranlagter Junge, ganz wie sein Vater, der ohne einen Sou nach Lüttich gekommen und nicht davor zurückgescheut war, den Handel mit Eingeweiden anzufangen, und dabei reich geworden war.

Willy bekam fünfhundert Franc Taschengeld im Monat. Für uns war das ein Vermögen. Die Universität betrat er nie, ließ sich die Texte der Vorlesungen von armen Kameraden abschreiben und bestand seine Prüfungen aufgrund von Tricks und Bestechungen.

Zu uns kam er ganz einfach aus Neugier, denn er teilte weder unseren Geschmack noch unsere Ideen.

Sein Vater kaufte Malern ihre Bilder ab und verachtete sie doch dabei, so wie er Amtmänner, beziehungsweise Stadträte, irgendwelcher Vergünstigungen wegen kaufte und sie verachtete.

Ebenso war es mit Willy. Auch er verachtete uns. Und hierher kam er bloß, um den Unterschied zwischen sich, dem Reichen, und den anderen zu messen.

Er trank keinen Alkohol, blickte voller Abscheu auf diejenigen unter uns, die betrunken waren. Im Verlauf unserer endlosen Diskussionen ließ er nur gelegentlich ein Wort fallen, und das war jedes Mal wie eine kalte Dusche. Seine Bemerkungen verletzten uns, weil sie rücksichtslos all die falsche Romantik zerstörten, die wir mühsam geschaffen hatten. Er verabscheute uns, und wir verabscheuten ihn! Dazu war er noch auf eine zynische Art geizig. Es gab Tage, wo Klein nichts zu essen hatte und wir ihm aushalfen, mal der eine, mal der andere. Mortier allein erklärte:

›Ich möchte nicht, dass zwischen uns von Geld die Rede ist; ihr sollt mich nicht nur, weil ich reich bin, akzeptieren!‹

Und wenn die anderen ihre letzten Sous zusammenkratzten, um gemeinsam etwas zu trinken zu kaufen, achtete er darauf, nicht mehr als seinen Anteil beizusteuern.

Lecocq d'Arneville gehörte zu denen, die ihm seine Texte kopierten; und ich habe selbst mit angehört, wie Willy sich weigerte, ihm einen Vorschuss auf die Arbeit zu geben.

Er war das fremde, das feindliche Element, das in beinahe jedem Kreis von Männern zu finden ist.

Man ertrug ihn eben. Nur Klein griff ihn aufs heftigste an, besonders wenn er betrunken war, warf ihm alles vor, was er auf dem Herzen hatte. Der andere ließ diese Angriffe wortlos, mit verächtlich verzogenen Lippen über sich ergehen und wurde höchstens ein wenig blass.

Ich habe vorhin von verschiedenen Graden der Aufrichtigkeit gesprochen; die Ehrlichsten waren zweifellos Klein und Lecocq d'Arneville, die eine brüderliche Zuneigung verband. Beide hatten eine schwere Kindheit an der Seite einer notleidenden Mutter durchgemacht, beide strebten nach einem besseren Leben, empfanden die gleiche Verbitterung angesichts der unüberwindlichen Hindernisse.

Klein war gezwungen, tagsüber als Anstreicher zu arbeiten, um die Abendkurse der Akademie besuchen zu können. Er gestand uns, dass ihm schwindlig wurde, sobald er auf die obersten Sprossen einer Leiter steigen musste. Lecocq schrieb Vorlesungstexte für andere ab und gab ausländischen Studenten Französischunterricht. Er hat oft hier gegessen – der Kocher muss noch irgendwo stehen…«

Er stand in der Nähe der Couch, und Jef stieß ihn traurig mit dem Fuß an.

Maurice Belloir, dessen glattfrisiertes Haar nicht eine unordentliche Strähne aufwies, nahm den Faden der Erzählung in ausdruckslosem, nüchternem Tonfall wieder auf:

»Inzwischen habe ich gelegentlich in den Salons angesehener Bürger in Reims jemanden zum Spaß die Frage stellen hören: ›Wären Sie unter bestimmten Umständen imstande, einen Menschen zu töten?‹

Oder auch die andere, Ihnen sicherlich bekannte Frage: ›Wenn Sie nur auf einen elektrischen Schaltknopf zu drücken brauchten, um einen im fernsten China lebenden, steinreichen Mandarin zu töten und anschließend zu beerben, würden Sie es tun?‹

Hier in diesem Raum, wo die erstaunlichsten Themen uns als Vorwand zu nächtelangen Diskussionen dienten, musste das Rätsel von Leben und Tod auch einmal zur Sprache kommen…

Es war kurz vor Weihnachten. Eine Zeitungsnotiz gab den Anstoß. Es hatte geschneit. Und natürlich mussten sich unsere Ansichten von den hergebrachten unterscheiden!

So waren wir denn auch Feuer und Flamme für Theorien wie: Der Mensch ist nichts als ein Schimmelpilz an der Erdkruste, sein Leben oder Tod hat keine Bedeutung. Oder: Mitleid ist nur eine Art Krankheit; die großen Tiere fressen die kleinen, und wir fressen die großen.

Lombard hat Ihnen das mit dem Taschenmesser erzählt, wie er sich ins Fleisch schnitt zum Beweis, dass der Schmerz nicht existiert.

So haben wir denn in jener Nacht, als schon drei oder vier leere Flaschen am Boden lagen, auch allen Ernstes das Töten eines Menschen erörtert.

Es war schließlich eine rein theoretische Debatte, wo alles erlaubt ist. Und einer fragte den anderen:

›Würdest du dich getrauen?‹

Dabei begannen die Augen zu glänzen, und Schauer krankhafter Erregung liefen uns den Rücken hinunter.

›Warum nicht? Wo das Leben doch nur ein Zufall ist, eine Art Ausschlag der Erdkruste!‹

›Einen x-beliebigen Menschen auf der Straße?‹

Und Klein, der am betrunkensten von allen war, rief mit bleichem Gesicht und Ringen unter den Augen:

›Ja!‹

Man hatte das Gefühl, ganz nah am Rand eines Abgrundes zu stehen, fürchtete sich, auch nur einen Schritt weiter zu tun. Es war ein Spiel mit der Gefahr, ein Tändeln mit dem Tod, der nun, einmal heraufbeschworen, in unserer Mitte umzugehen schien...

Einer von uns – van Damme, glaube ich, der als Kind im Kirchenchor gesungen hatte – stimmte das *Libera nos* an, das die Priester bei der Totenwache singen. Wir fielen ein, sangen im Chor und berauschten uns an dem makabren Spiel.

Aber wir haben niemand umgebracht in dieser Nacht! Um vier Uhr morgens schwang ich mich über die Mauer und war daheim. Um acht trank ich mit meinen Eltern Kaffee. Und alles war nur noch Erinnerung, verstehen Sie? So, wie man sich eines Theaterstücks erinnert, bei dem es einen gegruselt hat.

Klein jedoch blieb hier, in der Rue du Pot-au-Noir, und im überspannten Hirn dieses körperlich Schwächlichen spukten diese Ideen fort, ließen ihm keine Ruhe. Immer wieder in den darauffolgenden Tagen verriet er durch unvermittelte Fragen, dass er nicht aufgehört hatte, sich damit zu beschäftigen.

›Glaubst du wirklich, dass es so schwer ist, einen Menschen zu töten?‹

Man wollte sich keine Blöße geben, war aber auch nicht mehr betrunken, antwortete also ohne rechte Überzeugung:

›Natürlich nicht!‹

Wer weiß, ob uns die fieberhafte Erregung des Jungen nicht gar eine Art angstvoller Lust verschaffte? Verstehen Sie mich recht, wir wollten keine Tragödie! Es ging uns nur darum, bis zur äußersten Grenze vorzudringen …

Bei einer Feuersbrunst wünschen die Zuschauer sich auch ganz unwillkürlich, dass sie dauert, dass ein ›ziemlicher Brand‹ daraus wird, und wenn das Wasser steigt, so hofft der Zeitungsleser auf eine ›ziemliche Überschwemmung‹, von der man noch in zwanzig Jahren sprechen wird.

Irgendetwas Interessantes, egal, was!

Der Weihnachtsabend brach an. Jeder brachte etwas zu trinken mit. Wir tranken, sangen, und Klein, der schon recht blau war, zog bald diesen, bald jenen zur Seite:

›Glaubst du, ich wäre imstande, jemand umzubringen?‹

Wir nahmen es nicht weiter tragisch. Um Mitternacht war keiner mehr nüchtern. Man wollte neue Flaschen holen.

In dem Moment erschien Willy Mortier im Smoking; alles Licht schien sich auf seine weiße Hemdbrust zu konzentrieren. Er sah gesund aus, roch nach Kölnischwasser. Er sagte, er komme eben von einem großen Empfang.

›Hol uns was zu trinken!‹, rief Klein ihm entgegen.

›Du bist betrunken, Freund! Ich bin bloß vorbeigekommen, um euch ein frohes Fest zu wünschen…‹

›Du meinst wohl, um uns anzugucken!‹

Noch konnte man nicht ahnen, was passieren würde. Und doch war Kleins Gesicht nie zuvor im Rausch so erschreckend gewesen. Er wirkte so schmal, so kümmerlich neben dem anderen. Sein Haar hing wirr herab, Schweiß lief ihm über die Stirn, und seine Krawatte war ihm abhanden gekommen.

›Du bist besoffen wie ein Schwein!‹

›Gut, dann sagt dir jetzt das Schwein, du sollst was zu trinken holen…‹

In dem Augenblick, glaube ich, bekam Willy doch Angst. Er muss gespürt haben, dass das kein Scherz mehr war; trotzdem behielt er seine arrogante Haltung bei.

Er hatte sehr dunkles Haar, man roch die Brillantine.

›Also lustig seid ihr hier ja nicht gerade!‹, gab er von sich. ›Da waren ja die Spießbürger, von denen ich komme, noch amüsanter…‹

›Hol was zu trinken!‹

Und mit flackerndem Blick umkreiste ihn Klein. In einer Ecke wurde über Gott weiß welche Theorie Kants debattiert, in einer anderen beteuerte einer schluchzend, er habe kein Recht zu leben.

Einen klaren Kopf hatte keiner von uns mehr, und keiner hat alles gesehen. Plötzlich ist Klein – ein zitterndes Nervenbündel – hochgeschnellt und hat zugeschlagen…

Es sah aus, als wolle er seinen Kopf in die Hemdbrust rammen, dann sahen wir Blut spritzen und Willys Mund, der sich immer weiter öffnete ...«

»Nein!«, fiel Jef Lombard ihm flehentlich ins Wort. Er war aufgestanden, blickte Belloir völlig verstört an.

Van Damme hatte sich wieder mit halb abgewandtem Oberkörper an die Wand gepresst.

Doch nun vermochte Belloir nichts mehr aufzuhalten, nicht einmal sein eigener Wille hätte es vermocht. In der hereinbrechenden Dämmerung wirkten die Gesichter grau.

»Alles war in Bewegung geraten«, hob die Stimme abermals an, »bloß Klein stand da, zusammengesunken, ein Messer in der Hand, und stierte benommen auf den schwankenden Willy. So etwas verläuft ganz anders, als man es sich vorstellt. Ich weiß nicht, wie ich es erklären soll ...

Mortier fiel nicht hin, obwohl das Blut in Strömen aus dem Loch in seiner Hemdbrust quoll. Ich bin sicher, er hat sogar noch gesagt:

›Ihr Schweine!‹

Und dabei stand er immer noch am selben Platz, die Beine ein wenig gespreizt, wie um das Gleichgewicht zu halten. Wenn das Blut nicht gewesen wäre, hätte man ihn für den Betrunkenen halten können ...

Er hatte sehr große Augen, die in diesem Moment noch größer erschienen. Seine linke Hand umklammerte den Knopf seiner Smokingjacke, während die rechte sich nach hinten zur Gesäßtasche hintastete.

Irgendjemand stieß einen Schrei des Entsetzens aus. Ich glaube, es war Jef. Da plötzlich sahen wir, wie Mortiers

Rechte langsam einen Revolver hervorzog, so ein kleines, schwarzes Ding aus hartem Stahl.

Klein wälzte sich in Krämpfen am Boden. Eine Flasche fiel herunter und zerbrach.

Und Willy starb immer noch nicht! Er wankte unmerklich, sah uns alle nacheinander an. Wahrscheinlich sah er schon nicht mehr klar... Dann hob er den Arm mit dem Revolver...

In dem Moment hat sich einer auf ihn gestürzt, um ihm die Waffe zu entreißen, und ist in dem Blut ausgerutscht. Sie fielen alle beide auf den Fußboden.

Mortier muss einen Schock erlitten haben, verstehen Sie? Denn er starb nicht... Seine großen, glasigen Augen waren weit aufgerissen!

Immer wieder versuchte er, die Waffe anzuheben; er hat noch einmal ›Ihr Schweine!‹ gesagt.

Dann war die Hand des anderen an seiner Kehle – hat zugedrückt...

Viel Leben war ohnehin nicht mehr in ihm.

Mein Anzug war völlig verschmiert – der im Smoking aber blieb reglos liegen.«

Schaudernd starrten van Damme und Jef Lombard den Freund an. Belloir jedoch schloss mit den Worten:

»Die Hand, die ihm die Kehle zudrückte, war meine! Derjenige, der in der Blutlache ausrutschte, war ich.«

Stand er nicht vielleicht gerade an derselben Stelle wie damals, nur sauber, einwandfrei gekleidet, mit frisch geputzten Schuhen und einem Anzug, auf dem kein Stäubchen zu entdecken war?

Ein großer, goldener Siegelring schmückte seine rechte Hand, die weiß und gepflegt war, mit sorgfältig manikürten Fingernägeln.

»Wie betäubt haben wir herumgestanden. Dann wurde Klein, der sich sofort der Polizei stellen wollte, erst mal ins Bett gesteckt. Niemand hat ein Wort gesprochen. – Ich kann Ihnen nicht erklären, wie das alles war, obwohl ich einen klaren Kopf hatte. Ich kann nur wiederholen, dass man eine ganz falsche Vorstellung von dem Ablauf solcher Tragödien hat. Ich habe van Damme auf den Flur gezerrt, wo wir halblaut miteinander sprachen, während Klein im Hintergrund nicht aufhörte zu schreien, kaum zu halten war.

Die Kirchturmuhr hat die volle Stunde geschlagen – aber ich kann nicht sagen, wie viel Uhr es war –, als wir zu dritt mit der Leiche auf die Gasse hinaustraten… Die Maas führte Hochwasser. Auf dem Quai Sainte-Barbe stand das Wasser einen halben Meter hoch, und die Strömung war stark. Stromaufwärts und stromabwärts waren alle Schleusen geöffnet. Im Schein der nächsten Gaslaterne sah man gerade noch etwas Unförmiges, Dunkles an der Wasseroberfläche den Strom hinabtreiben…

Mein Anzug war verschmutzt und zerrissen. Ich habe ihn im Atelier gelassen, und van Damme hat mir von sich zu Hause frische Kleider geholt. Am nächsten Tag hab ich meinen Eltern irgendein Märchen erzählt.«

»Sind Sie danach noch einmal zusammengetroffen?«, fragte Maigret bedächtig.

»Nein. Wir haben die Rue du Pot-au-Noir Hals über Kopf verlassen. Lecocq d'Arneville ist bei Klein geblieben. Seither haben wir einander wie auf Verabredung gemieden.

Wenn wir uns in der Stadt begegneten, blickten wir in eine andere Richtung.

Der Zufall wollte es, dass Willys Leiche infolge des Hochwassers nie gefunden wurde. Und da er geflissentlich vermieden hatte, seine Beziehung zu uns zu erwähnen – er war nicht gerade stolz darauf, mit uns befreundet zu sein –, wurde zuerst angenommen, er sei von zu Hause durchgebrannt. Später hat man Nachforschungen in zweifelhaften Lokalen angestellt, da man annahm, er habe die restlichen Nachtstunden dort verbracht.

Ich habe Lüttich als Erster verlassen, drei Wochen danach. Meine Studien habe ich einfach abgebrochen und meiner Familie erklärt, ich wolle in Frankreich Karriere machen. In Paris habe ich bei einer Bank gearbeitet.

Aus den Zeitungen erfuhr ich, dass Klein sich im Februar darauf am Kirchenportal von Saint-Pholien erhängt hatte…

Eines Tages traf ich Janin in Paris. Wir haben die Tragödie nicht erwähnt. Er sagte mir nur, dass er sich ebenfalls in Frankreich niedergelassen habe.«

»Ich bin als Einziger in Lüttich geblieben«, knurrte Jef Lombard, ohne aufzublicken.

»Sie haben Gehängte und Kirchtürme gezeichnet!«, bemerkte Maigret. »Dann haben Sie Zeichnungen für Zeitungen angefertigt, und dann…«

In Gedanken sah er das Haus in der Rue Hors-Château vor sich, die Fenster mit den kleinen, grünlich gefärbten Scheiben, den Brunnen im Hof, das Porträt der jungen Frau, das Büro des Fotograveurs, in dem Plakate und Titelseiten von Illustrierten nach und nach die Gehängten an den Wänden zu überdecken begannen.

Und die Kinder! Das dritte, das am Vorabend zur Welt gekommen war!

Waren denn nicht inzwischen zehn Jahre verstrichen? Hatte das Leben nicht überall, Schritt für Schritt, mit mehr oder minder Geschick, wieder seinen normalen Gang genommen?

Van Damme hatte sich wie die beiden anderen zuerst in Paris herumgetrieben und war dann durch einen Zufall in Deutschland gelandet. Seine Eltern hatten ihm Geld hinterlassen, so war er in Bremen ein angesehener Geschäftsmann geworden.

Maurice Belloir hatte eine gute Partie gemacht. Er hatte es zu etwas gebracht.

Stellvertretender Bankdirektor, und dazu das schmucke, neue Haus in der Rue de Vesle, das Kind, das Geigenunterricht erhielt.

Seine Abende verbrachte er beim Billard in dem behaglichen Café de Paris, in Gesellschaft von Leuten, die ebenso angesehen waren wie er…

Janin begnügte sich mit Zufallsliebschaften, verdiente sich seinen Lebensunterhalt mit der Herstellung von Schaufensterpuppen und modellierte am Feierabend die Büste seiner Geliebten…

Hatte Lecocq d'Arneville nicht auch geheiratet? Hatte nicht auch er Frau und Kind in der Kräuterhandlung der Rue Picpus?

Der Vater Willy Mortiers kaufte weiter Därme, die er säuberte und lastwagenweise, ja waggonweise verkaufte. Und er bestach weiterhin Amtmänner und vermehrte sein Vermögen.

Seine Tochter hatte einen Kavallerieoffizier geheiratet, und weil dieser sich nicht zum Eintritt in das Geschäft des Schwiegervaters entschließen konnte, hatte Mortier sich geweigert, ihm die versprochene Mitgift auszuzahlen.

Das Paar lebte in irgendeiner kleinen Garnisonsstadt.

11

Der Kerzenstummel

Es war schon fast dunkel. Im grauen Zwielicht verschwammen die Gesichter, und zugleich trat jeder einzelne Zug umso stärker hervor.

Lombard, dem das Halbdunkel auf die Nerven zu gehen schien, sagte gereizt:

»Können wir denn nicht endlich Licht machen?«

Es fand sich noch ein Kerzenstummel in der Laterne, die seit zehn Jahren dort an ihrem Nagel hing und dem Hausbesitzer, der nie zu seinem Geld gekommen war, zusammen mit der durchgesessenen Couch, dem Kattunstück, dem unvollständigen Skelett und den Skizzen von dem Mädchen mit den nackten Brüsten überlassen worden war. Maigret zündete den Stummel an, und Schatten tanzten über die Wände, die im Licht hinter den bunten Glasscheiben rot, gelb und blau gefärbt erschienen, wie von einer Laterna magica beleuchtet.

»Wann ist Lecocq d'Arneville zum ersten Mal zu Ihnen gekommen?«, fragte der Kommissar, an Maurice Belloir gewandt.

»Es muss so etwa drei Jahre her sein. Er kam ganz unerwartet… Das Haus, das Sie gesehen haben, war eben fertig geworden, und mein Sohn fing gerade an zu laufen.

Ich war betroffen von seiner Ähnlichkeit mit Klein –

weniger eine äußerliche Ähnlichkeit als etwas in seinem Wesen, das gleiche verzehrende Fieber, die gleiche krankhafte Nervosität.

Er kam als Feind, war verbittert oder verzweifelt. Ich weiß nicht, wie ich es beschreiben soll...

Er grinste, sprach in schroffem Ton, gab vor, die Einrichtung meines Hauses zu bewundern, meine Stellung, mein Leben, meinen Charakter, und dabei spürte ich – so wie früher bei Klein, wenn er betrunken war –, dass er jeden Moment in Tränen ausbrechen konnte!

Er dachte, ich hätte vergessen... Aber das stimmte nicht! Ich hatte nur weiterleben wollen, verstehen Sie? Und um leben zu können, habe ich geschuftet wie ein Kuli.

Er war dazu nicht imstande gewesen. Natürlich darf man nicht vergessen, dass er nach jenem Weihnachtsabend noch zwei Monate mit Klein zusammengewohnt hat. Wir anderen waren längst fort, sie aber sind dort geblieben, in dem Raum, wo...

Ich kann Ihnen nicht beschreiben, was ich empfand, als Lecocq d'Arneville wieder auftauchte, nach all den Jahren unverändert vor mir stand...

Es war, als sei das Leben für die einen weitergegangen und für die anderen stehengeblieben.

Er sagte, er habe einen anderen Namen angenommen, um durch nichts an die Tragödie von damals erinnert zu werden, habe seine ganze Lebensweise geändert, kein einziges Buch mehr aufgeschlagen.

Er hatte sich eingeredet, er könne eine ganz neue Existenz als einfacher Handwerker aufbauen. Ich hab mir das alles aus Andeutungen selbst zusammenreimen müssen, denn was er von sich gab, war ein wirres Durcheinander von ironiegeladenen Sätzen, Vorwürfen und ungeheuerlichen Anschuldigungen.

Er war gescheitert, nichts war ihm gelungen. Ein Teil seiner selbst hatte sich einfach nie von diesem Raum zu lösen vermocht.

Uns anderen ging es, glaube ich, ebenso, nur dass es sich weniger stark bemerkbar machte, nicht diesen krankhaft-selbstquälerischen Grad erreichte!

Ich glaube, es war Klein, dessen Gesicht ihn verfolgte, Klein mehr noch als Willy…

Und selbst als er verheiratet war, in der Nähe seines Kindes, kam es plötzlich über ihn, dass er fortmusste, sich betrinken! Er war eben nicht mehr imstande, glücklich zu sein oder auch nur einen Anschein von Frieden zu finden.

Er liebe seine Frau, hat er mir ins Gesicht geschrien, und habe sie nur verlassen, weil er sich neben ihr wie ein Dieb vorgekommen sei.

Ein Dieb fremden Glücks! Eines Glücks, das Klein gestohlen worden war… Und dem anderen…

Ich habe seither viel über alles nachgedacht, wissen Sie, und ich glaube, dass ich verstanden habe. Wir haben damals mit entsetzlichen Ideen, mit dem Mystischen und mit dem Morbiden unser Spiel getrieben.

Es war zwar nur ein Spiel, das Spiel dummer Jungen, aber für zwei von uns, die beiden Empfindsamsten, ist Ernst daraus geworden.

Klein und Lecocq d'Arneville… Wir haben vom Töten gesprochen – Klein hat es tun wollen und hat sich schließlich selbst getötet! Lecocq, von Grauen gepackt, hat es die

Nerven zerrüttet. Er ist den Alpdruck ein Leben lang nicht mehr losgeworden.

Wir anderen haben versucht, dem zu entkommen, haben uns bemüht, die Verbindung mit dem normalen Leben wiederherzustellen.

Lecocq d'Arneville dagegen hat sich auf Gedeih und Verderb in die Reue, in maßlose Verzweiflung gestürzt. Er hat sein Leben verpfuscht – und das seiner Frau, das seines Sohnes dazu!

Und so hat er sich dann auch gegen uns gewandt, denn das war der Grund, weshalb er zu mir kam. Das ist mir erst später klar geworden.

Er hat alles genau betrachtet, *mein* Haus, *meinen* Haushalt, *meine* Bank, und ich habe gefühlt, dass er es als seine Aufgabe ansah, das alles zu zerstören…

Um Klein zu rächen! Und um sich selbst zu rächen!

Er hat mir gedroht… Er hatte den Anzug mit all den Blutflecken und zerrissenen Stellen aufgehoben, den einzigen greifbaren Beweis der Vorgänge vom Weihnachtsabend.

Er hat Geld gefordert, viel Geld! Und später hat er noch mehr verlangt.

Denn war das nicht unser wunder Punkt? Hing nicht eines jeden Position, die van Dammes, Lombards, meine, ja selbst Janins, vom Geld ab?

So hat für uns ein neuer Alptraum begonnen… Lecocqs Überlegungen waren richtig gewesen. Er ging vom einen zum anderen, den unseligen Anzug mit sich schleppend, und rechnete mit diabolischer Genauigkeit die Summen aus, die er uns abverlangen musste, um uns in Schwierigkeiten zu bringen…

Sie sind bei mir gewesen, Herr Kommissar. Das Haus, das Sie gesehen haben, ist mit Hypotheken belastet. Meine Frau glaubt, ihre Mitgift liege unangetastet auf der Bank, dabei ist kein Centime mehr davon übrig. Und ich habe mir noch andere Unregelmäßigkeiten zuschulden kommen lassen!

Zweimal hat er van Damme in Bremen aufgesucht, und in Lüttich war er auch...

Stets unverändert in seiner Verbitterung, unnachgiebig in seiner Entschlossenheit, jede Spur von Glück zu vernichten.

Wir waren sechs, die Willys Tod auf dem Gewissen hatten. Klein war umgekommen, Lecocq verwandelte jede Minute seines Lebens in einen Alptraum.

Wir anderen sollten ebenso sehr leiden. Das Geld, das er uns abnahm, hat er überhaupt nie angerührt. Er lebte ärmlich wie zu der Zeit, als Klein und er sich für ein paar Sous heiße Blutwurst kauften. Die Geldscheine verbrannte er einfach...

Und jeden dieser Scheine, die er dann einfach verbrannte, hatten wir unter unvorstellbaren Schwierigkeiten aufgetrieben!

Drei Jahre ging das nun schon so, dass wir uns – ein jeder für sich – damit herumschlagen mussten; van Damme in Bremen, Jef in Lüttich, Janin in Paris und ich in Reims.

Drei Jahre lang wagten wir einander kaum zu schreiben, Lecocq d'Arneville versetzte uns zwangsweise in die unheilschwangere Atmosphäre der *apokalyptischen Kumpane* zurück...

Ich habe eine Frau, Lombard ebenfalls. Wir haben beide Kinder, und ihretwegen haben wir uns bemüht durchzuhalten.

Neulich hat uns van Damme telegrafisch von Lecocqs Selbstmord benachrichtigt und eine Zusammenkunft vorgeschlagen.

Alle sind gekommen. Dann sind Sie aufgetaucht. Nachdem Sie gegangen waren, haben wir erfahren, dass Sie nun im Besitz des blutigen Anzugs und wild entschlossen seien, die ganze Sache wieder aufzurollen...«

»Wer von Ihnen hat mir an der Gare du Nord den einen Koffer gestohlen?«, fragte Maigret.

Van Damme antwortete:

»Janin! Ich war vor Ihnen angekommen und hielt mich auf einem der Bahnsteige versteckt.«

Sie waren allesamt erschöpft. Der Kerzenstummel würde vielleicht noch zehn Minuten brennen, länger auf keinen Fall. Durch eine ungeschickte Bewegung des Kommissars rollte der Totenkopf zu Boden. Es sah aus, als knabbere er an den Dielen.

»Wer hat mir den Brief ins Hôtel du Chemin de Fer geschickt?«

»Ich!«, erwiderte Jef, ohne aufzublicken. »Es war wegen meiner Kinder, wegen meiner kleinen Tochter, die ich mir noch nicht einmal richtig angesehen habe... Van Damme und Belloir haben Verdacht geschöpft und sind ins Café de la Bourse gekommen.«

»Und Sie waren es auch, der geschossen hat?«

»Ja... Ich konnte einfach nicht mehr. Ich wollte leben, bloß leben – mit meiner Frau und den Kindern –, deshalb habe ich Ihnen draußen aufgelauert. Ich habe für fünfzigtausend Franc Wechsel ausgestellt, fünfzigtausend Franc, die Lecocq verbrannt hat! Aber was macht das schon? Ich werde alles zurückzahlen. Irgendwie werde ich es schon schaffen. Bloß, mit Ihnen im Nacken...«

Maigrets Blick wanderte hin zu van Damme.

»Und Sie sind immer vor mir hergelaufen und haben versucht, alle Verdachtsmomente zu beseitigen.«

Sie schwiegen. Die Kerze flackerte. Jef Lombard war der Einzige, auf den das Licht durch eine der roten Scheiben fiel.

In diesem Moment versagte Belloirs Stimme zum ersten Mal:

»Vor zehn Jahren, gleich nach dem... nach der Geschichte... hätte ich mich damit abgefunden«, sagte er. »Ich hatte mir einen Revolver gekauft für den Fall, dass ich verhaftet würde. Aber jetzt, wo man zehn Jahre gelebt hat!... Zehn Jahre Mühsal, Existenzkampf, unter ganz neuen Umständen, mit Frau und Kind... Ich glaube, ich wäre auch fähig gewesen, Sie in die Marne zu stoßen oder im Dunkeln auf Sie anzulegen, als Sie aus dem Café de la Bourse kamen...

Denn in einem Monat, nein, nicht einmal – in sechsundzwanzig Tagen ist die Verjährungsfrist abgelaufen...«

Mitten in dem Schweigen, das diesen Worten folgte, loderte die Flamme plötzlich noch einmal hoch auf und erlosch. Dann herrschte tiefste, undurchdringliche Finsternis.

Maigret machte keine Bewegung. Er wusste, dass Lombard links von ihm stand, van Damme ihm gegenüber an der Wand lehnte und Belloir sich höchstens einen Schritt hinter ihm befand.

Er wartete, ohne auch nur die Hand in die Tasche mit dem Revolver zu stecken.

Ganz deutlich spürte er, wie ein Schauder, oder eher

ein Keuchen, Belloirs Gestalt erbeben ließ, bevor dieser ein Streichholz entzündete und murmelte:

»Ich nehme an, Sie wollen, dass wir jetzt gehen...«

Das Licht des Flämmchens verlieh den Augen jedes der Anwesenden einen tieferen Glanz. Ihre Körper berührten sich beim Hinausdrängeln durch die Tür und auf der engen Treppe. Van Damme, der vergessen hatte, dass das Geländer von der achten Stufe an fehlte, verlor das Gleichgewicht.

Die Schneiderwerkstatt war geschlossen. Hinter der Gardine eines Fensters konnte man eine Alte im Schein eines Petroleumlämpchens stricken sehen.

»War es dort?«, fragte Maigret, auf die uneben gepflasterte Straße weisend, die hundert Meter von ihnen entfernt in den Quai mündete, da, wo eine Gaslaterne an der Hausecke befestigt war.

»Die Maas stand schon bei dem dritten Haus«, erwiderte Belloir. »Ich musste bis zu den Knien im Wasser waten, da-mit... damit die Strömung ihn erfasste...«

Sie schlugen die entgegengesetzte Richtung ein, machten einen Bogen um die neue Kirche, die sich inmitten eines er-höht angelegten, noch ungeebneten Geländes erhob.

Und schon waren sie in der Stadt, umgeben von Fußgän-gern, gelb und rot gestrichenen Straßenbahnen, Autos und Schaufenstern.

Um zur Stadtmitte zu gelangen, musste man über den Pont des Arches, wo der eilig dahinziehende Strom ge-räuschvoll gegen die Brückenpfeiler klatschte.

Sicher warteten in der Rue Hors-Château alle auf Jef Lombard; die Arbeiter unten bei ihren Säurebecken und den von den Zeitungsboten ungeduldig angeforderten Klischees; die junge Mutter droben zwischen den weißen Laken, mit der biederen, alten Schwiegermutter und dem Baby, das die Augen noch nicht aufgeschlagen hatte…

Und die beiden älteren, zum Stillsein angehaltenen Kinder in dem mit Gehängten geschmückten Esszimmer…

Ob nicht gerade jetzt eine andere Mutter in Reims ihrem Sohn Geigenunterricht erteilte, während das Dienstmädchen die Kupferstangen an der Treppe polierte, mit dem Staubtuch über das Porzellangefäß wischte, in dem die mächtige Zierpflanze stand?

Und in dem Geschäftshaus in Bremen war nun auch Dienstschluss, verließen die Stenotypistinnen und die beiden Angestellten ihr modernes Büro, tauchte das Verlöschen des elektrischen Lichts die Porzellanbuchstaben *Joseph van Damme, Handelsvertretung, Import-Export* in Dunkel.

Vielleicht bemerkte gerade eben ein Geschäftsmann mit kurzgeschorenem Haar in einer der Bierstuben bei Wiener Musik: »Komisch, der Franzose ist heute nicht da…«

In der Rue Picpus mochte Madame Jeunet gerade eine Zahnbürste verkaufen oder hundert Gramm Kamille, deren verblasste Blüten raschelnd in eine Tüte fielen…

Der Junge machte wohl in dem Zimmer hinterm Laden seine Schularbeiten…

Die vier Männer gingen im Gleichschritt einher. Ein leichter Wind war aufgekommen, jagte die Wolken über den bleich schimmernden Mond, der nur hin und wieder für die Dauer von Sekunden sichtbar wurde.

Ahnten sie, wohin der Weg sie führte?

Sie kamen an einem erleuchteten Café vorbei, über dessen Schwelle ein Betrunkener ins Freie torkelte.

»Ich werde in Paris erwartet«, sagte Maigret plötzlich und blieb stehen.

Und während die drei Männer ihn noch anstarrten, unsicher, ob sie sich über diese Feststellung freuen oder alle Hoffnung aufgeben sollten, und kein Wort zu sprechen wagten, vergrub Maigret beide Hände tief in den Taschen seines Mantels.

»Fünf Kinder sind in die Sache verwickelt...«

Sie waren nicht sicher, richtig gehört zu haben, denn der Kommissar hatte die Worte so undeutlich wie im Selbstgespräch gemurmelt. Und schon hatte er sich abgewandt, war nur noch sein breiter Rücken und sein schwarzer Mantel mit dem Samtkragen zu sehen.

»Eins in der Rue Picpus, drei in der Rue Hors-Château, eins in Reims...«

Vom Bahnhof aus steuerte Maigret direkt auf die Rue Lepic zu, wo die Concierge ihm erklärte:

»Sie brauchen gar nicht erst raufzugehen. Monsieur Janin ist nicht da. Erst dachte man, es wäre eine Bronchitis, aber dann ist eine Lungenentzündung draus geworden. Sie haben ihn ins Krankenhaus gebracht.«

Also ließ der Kommissar sich zum Quai des Orfèvres fahren, wo Wachtmeister Lucas gerade mit dem Inhaber einer Bar telefonierte, bei dem Unregelmäßigkeiten vorgekommen waren.

»Hast du meinen Brief gelesen, alter Junge?«

»Alles erledigt? Erfolg gehabt?«

»Keine Spur!«

Das war einer von Maigrets Lieblingsausdrücken.

»Haben sich wohl aus dem Staub gemacht, die Brüder? Ihr Brief hat mich übrigens ganz schön beunruhigt. Hätt mich am liebsten sofort in den Zug nach Lüttich gesetzt. Was war das denn nun für 'ne Bande? Anarchisten? Falschmünzer? Internationale Gangster?«

»Dumme Jungen!«, knurrte Maigret und warf das Köfferchen mit dem, was ein deutscher Fachmann in langen und gewissenhaften Ausführungen als *Anzug B* bezeichnet hatte, in den Wandschrank seines Büros.

»Komm mit auf ein Bierchen, Lucas!«

»Sie sehen aber nicht sehr glücklich aus.«

»Ach was, alter Junge, es gibt doch nichts Ulkigeres als das Leben! Kommst du?«

Einen Moment später schoben sie sich durch die Drehtür der Brasserie Dauphine.

Selten zuvor war Lucas so verstört gewesen, denn was das Bierchen anging, so wurden sechs Gläser Pseudoabsinth daraus, die sein Begleiter rasch nacheinander hinunterkippte. Das hielt ihn jedoch nicht davon ab, mit beinahe fester Stimme, aber einem für ihn ungewöhnlich umflorten Blick festzustellen:

»Weißt du, was, alter Junge? Noch zehn solche Fälle, und ich lasse mich pensionieren. Weil das nämlich der Beweis dafür wäre, dass der gute, alte liebe Gott da oben die Arbeit der Polizei höchstpersönlich übernommen hat…«

Allerdings fügte er dann noch, während er den Kellner herbeiwinkte, hinzu:

»Aber keine Bange! Von der Sorte gibt's keine zehn! – Und was tut sich derweil so im Haus…?«

1930

Georges Simenons
Kommissar Maigret
im Diogenes Hörbuch

»Schönes Gefühl: Es gibt 75 Maigret-Romane, und ich habe höchstens 50 gelesen. Maigret zu lesen, hat etwas Beruhigendes: Man betritt eine vertraute Welt, die, weil sie in Büchern enthalten ist, immer zur Verfügung steht… Von Geschichten über diesen Mann kann ich nie genug kriegen.«
Axel Hacke / Die Weltwoche, Zürich